量子物理，好玩好懂！

②遇上爱因斯坦

量子物理，好玩好懂！

2 遇上爱因斯坦

［韩］李亿周◎著　［韩］洪承佑◎绘　王忆文◎译

北京科学技术出版社
100 层童书馆

序言一

小朋友们，大家好。我是漫画家洪承佑。

我从小就很崇拜科学家。科学家研究宇宙万物（包括我们生活的地球）是如何形成和运作的。

假设我们面前有一个苹果，我们先将它对半切开，再分别对半切开，一直这样对半切下去，直到不能再切，会得到什么呢？

答案是原子。原子是构成物质的一种基本粒子。

量子力学研究的就是物质世界中像原子这样的微观粒子的运动规律。

早在古希腊时期，人们就对微观世界产生了疑问并充满了好奇。数千年来，科学家一直在研究原子，现在已经知道原子里面有什么，以及它们是如何运动的。但我们还需要进一步研究。

你们是否好奇历史上都有谁产生过疑问，以及他们分别是如何进行研究的？让我们通过漫画来了解科学家研究科学现象的故事，一起学习原子世界的物理定律。在这套书中，我们的好朋友郑小多将穿越时空，带领你们去探究原子的世界。

大家准备好和小多一起走进肉眼看不见的微观世界了吗？

出发！

洪承佑

序言二

要是没有手机和电脑，大家的生活会是什么样的呢？也许你们会觉得好像回到了原始社会。

很多让我们的生活变得便利的科学技术都离不开量子力学。手机和电脑中半导体的工作原理就要通过量子力学来解释。

科学史上有两个年份是“奇迹年”。

第一个年份是1666年。这一年，牛顿发现了万有引力定律和牛顿运动定律，解释了苹果落地的原因和月球运动的规律。

第二个年份是1905年。这一年，爱因斯坦发表了通过光子解释光电效应现象的伟大论文，为量子力学的建立奠定了基础。

牛顿运动定律可以解释肉眼可见的宏观世界，而量子力学则可以解释肉眼看不到的微观世界。

完全理解量子力学是一件非常难的事。

但只要拥有好奇心，你们就可以了解物质是由什么构成的，以及微观粒子是如何相互作用的。

好奇心是科学进步的基石。这套书讲的就是那些怀着好奇心探索物质世界的科学家的故事。从古希腊哲学家德谟克利特到成功完成量子隐形传态的安东·蔡林格，我想借由这些对量子力学做出贡献的科学家的故事带领大家进入微观世界。

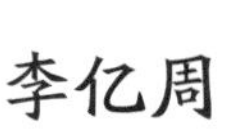

目 录

去寻找穿越时空的秘密吧。冲冲冲！

登场人物

郑小多

物理小学五年级学生，
对一切物理知识都充满好奇

Mix

小多家的宠物狗，
贪吃的捣蛋鬼

小多的家人

相亲相爱的一家人，
聚在一起时到处是
欢声笑语

金敏书

物理小学五年级学生，
博学多识且好奇心强烈

马克斯·普朗克
德国物理学家
(1858—1947)

阿尔伯特·爱因斯坦
犹太裔物理学家
(1879—1955)

约翰·威廉·斯特拉特
英国物理学家
(1842—1919)

阿瑟·霍利·康普顿
美国物理学家
(1892—1962)

托马斯·杨
英国物理学家
(1773—1829)

詹姆斯·查德威克
英国物理学家
(1891—1974)

汤川秀树
日本物理学家
(1907—1981)

恩里科·费米
美籍意大利物理学家
(1901—1954)

第一话

清冷明亮的光

生态

嗷呜——
嗖
嗖
嗖
喀！喀！

认真听讲，
不许闲聊！
咕
嘟

老师，萤火虫幼虫很特别，不但会发光，还是超级厉害的捕猎者，对吧？
对吧？对吧？
是的……没错。

会发光的捕猎者……是像这样发光吗？
你被逮捕了！
唰
呀
不，不是这样……

哦，和成虫一样，幼虫也是尾部发光！

那么是像舞厅的灯光一样？
动次
打次
认真看纪录片就知道了！集中注意力！

*囊萤映雪对应的韩文的字面意思是“兄舌之球”。

把自己逗成这样，真的看不下去了……
哈哈
哈哈
哈哈
笑死我了！

囊萤映雪是说，中国古代有个书生，家里贫穷没钱买灯油……
噢，糟糕！

于是，他捉了很多萤火虫，借着萤火虫发出的微光读书。
4×5=20
4×6=24

还有一个书生，晚上借着窗外雪的反光读书！
人之初，性本善……

哎哟，把萤火虫放在一起，万一着火了怎么办……
着火啦！
噼里啪啦
把萤火虫放在一起才不会着火呢！

萤火虫的光加上雪的反光，效果一定很棒！
碰
哎呀，太刺眼了！

咻
呜

汪呜呜汪汪！

哈哈，刚买的头箍和Mix真配！
……

感觉自己成了芭比娃娃……
触角犬，昆虫犬登场喽，哈哈！

咻
呜
呜

唰
你这是什么造型？你以为你是萤火虫吗？
汪汪汪汪汪汪！我也不想啊！我还不想穿越呢！

1899年　德国柏林大学
马克斯·普朗克工作的研究所

我正和敏书聊萤火虫呢……难道穿越和敏书也有关系？
当啷当啷

Temperature
Wavelength for Maximum Intensity
3000K 966 nm (IR)
4000K 724 nm (Red)
5000K 580 nm
6000K 483 nm
483 nm
UV
IR
Visible 6000 K
5000 K
4000 K
3000 K
Power density (10¹³ watts/m³)
100 500 1000 1500 2000 2500
Wavelength (nm)
← Short Wavelength High Frequency
Long Wavelength Low Frequency →
你们是什么人？
！
嗖
惊吓

我……我对萤火虫发出的光很好奇，所以来向您请教。
萤火虫发出的……光？
干得漂亮！

嗯……
虽然我不是昆虫学家，但我对光确实有研究……
！

很少有小朋友对光感兴趣……你叫什么名字？
我叫郑小多，它叫Mix。

嗯……看了你的狗，就知道你对昆虫很感兴趣。给狗都戴了触角头箍……
当啷

我是马克斯·普朗克教授。
你好。

那么，你是好奇萤火虫为什么会发光吗？
中国不是有个成语叫“囊萤映雪”吗？

我想知道把萤火虫聚在一起会不会着火。
哎呀！

虽然我不知道什么是“囊萤映雪”……
但你的问题跟我最近正在研究的问题很接近。
？

你看这个。
翻找
您在干什么？
咕嘟咕嘟
泡面
萤火
这和煮泡面的那个火可不一样！

这个！

这……这不是煤炭吗？
要用煤炭煮泡面吗？
汪！

煤炭为什么是黑色的？
这个嘛……

山是青的……

水是绿的……
所以煤炭自然是黑色的。
泡面！
泡面！

不是……这是因为煤炭吸收了所有颜色的光，所以看起来是黑色的。
光
吸收光……
嘿呀！

再看看这个苹果。为什么它看起来是红色的？
唰

红光
难道……是因为它吸收了其他光，只反射红光……

没错，就是这个原因！

唰
呀！

噼啪
啊！

要是把这块
煤炭烧热会
怎样？

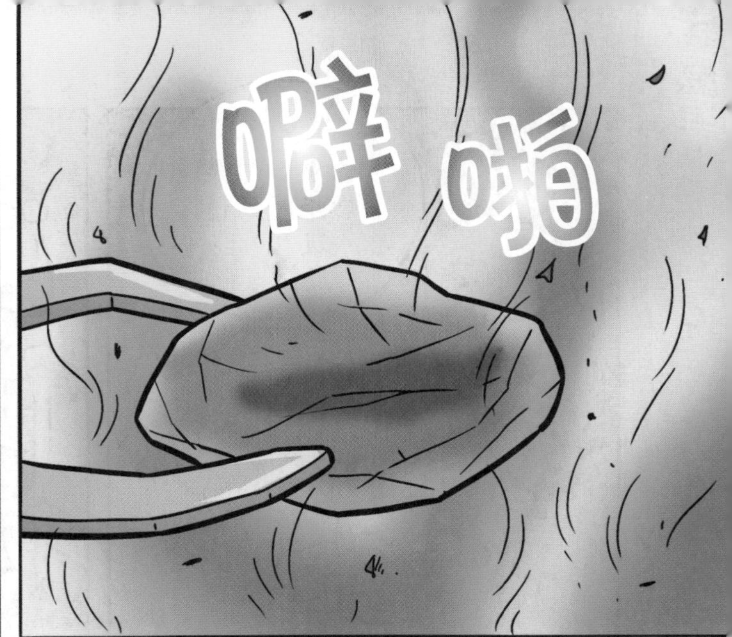
噼
啪

可以煮泡面吃！
哧溜，哧溜，
味道真棒！
不知道泡面
是什么，反
正不是你说
的那样……
哧溜

哇，炭火
的颜色！

会变红？
答对了！

是的，煤炭燃烧时会
先变成红色，然后慢
慢变成青白色。

你了解煤炭燃烧时的情况吗？

肯定超级烫！
那当然……
嘿哈
俄罗斯传统舞蹈

煤炭在常温下吸收所有颜色的光，因此呈黑色……
但随着温度的升高，颜色会发生变化。
温度升高到一定程度后，煤炭会发出白光。

也就是说，温度低时吸收光……
光
嘿呀

温度高时会发光？
发射！
你总算听懂了。

唰
嚯！

哔哔哔

当
当

到底是科学家还是铁匠……
当
当
铁匠打铁时最重要的是掌握好温度。

打造的物品不同，需要的温度也不同。
嚯！

比如锄头和刀，打造时的温度就不同。
用途也不同！
那么，如何知道铁到底被煅烧到多少度了呢？

这里有支温度计。用这个量一下不就行了嘛。

不仅没量出温度，连温度计都报废了……
哎哟。

铁匠能通过观察铁的颜色来判断温度。
嗯，差不多是500℃。

牛顿通过实验发现太阳光是由七种颜色的光组成的。
哈，你说的是三棱镜实验吧？

太阳光穿过三棱镜后变成了七色光带。
没错！
太阳光
三棱镜
红外区
紫外区

*1纳米（nm）等于十亿分之一米。

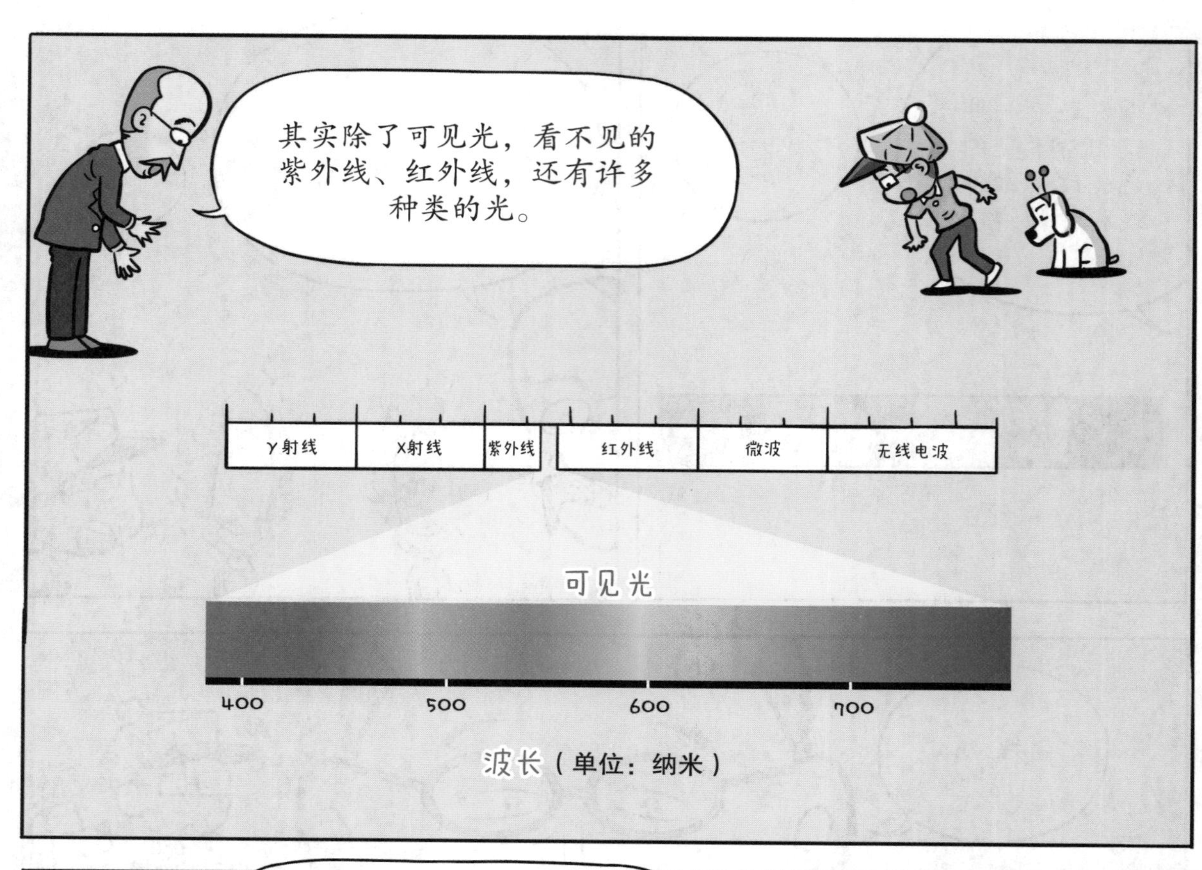
其实除了可见光，看不见的紫外线、红外线，还有许多种类的光。
γ射线
X射线
紫外线
红外线
微波
无线电波
可见光
400
500
600
700
波长（单位：纳米）

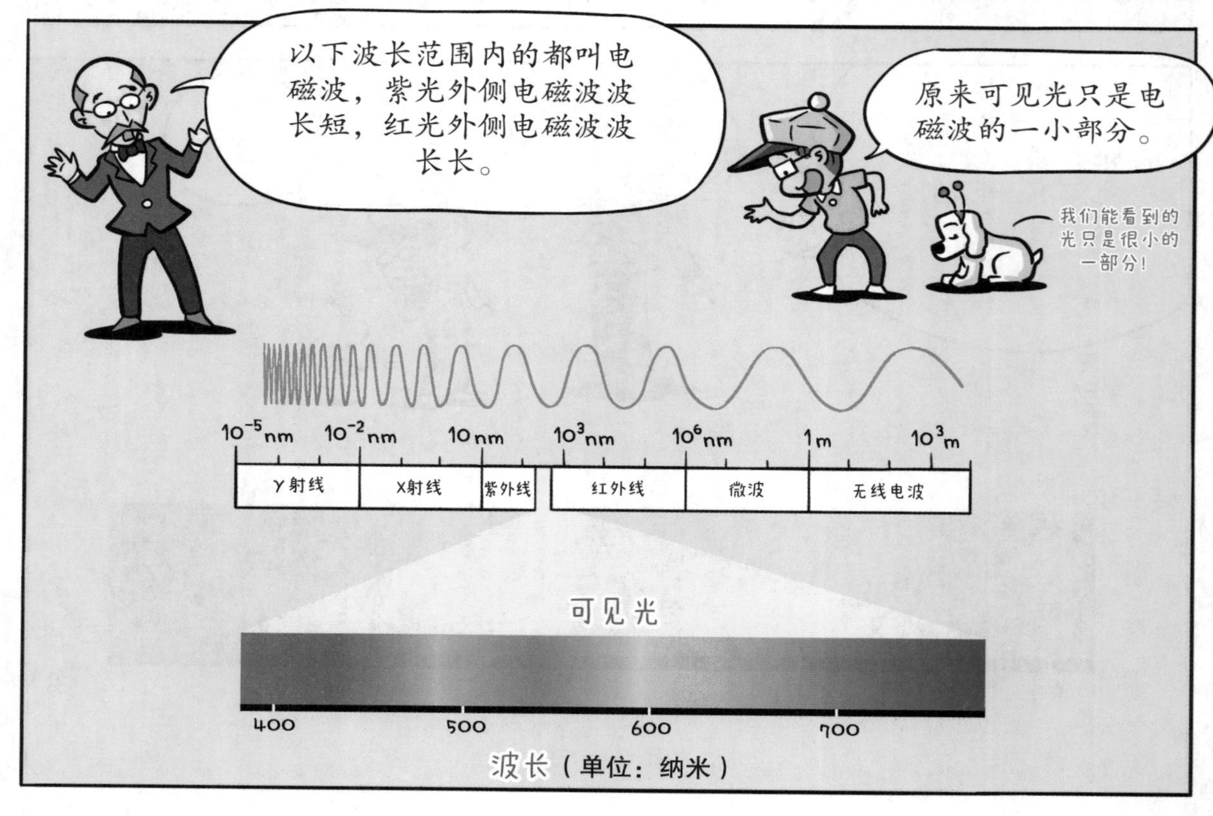
以下波长范围内的都叫电磁波，紫光外侧电磁波波长短，红光外侧电磁波波长长。
原来可见光只是电磁波的一小部分。
我们能看到的光只是很小的一部分！
10⁻⁵nm
10⁻²nm
10nm
10³nm
10⁶nm
1m
10³m
γ射线
X射线
紫外线
红外线
微波
无线电波
可见光
400
500
600
700
波长（单位：纳米）

随着温度上升，物质会发出光……
换句话说……

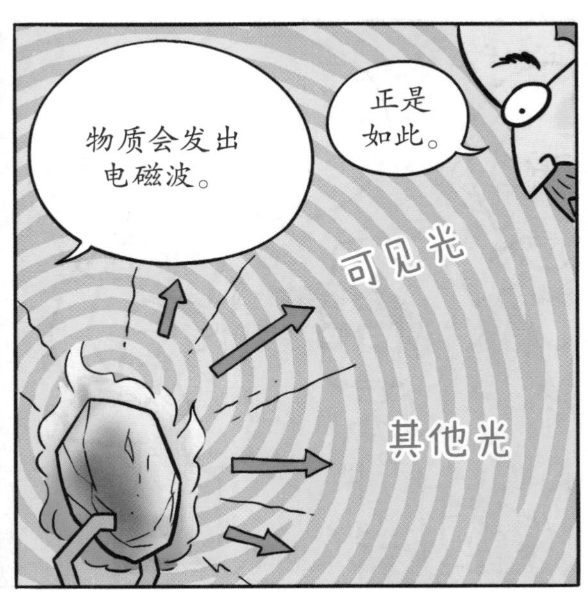
物质会发出电磁波。
正是如此。
可见光
其他光

物质发出电磁波的过程被称为辐射。
辐射
好像不是这种辐射吧……
唰
唰

晒太阳时，温暖的阳光就是太阳辐射的光和热。

最近我在研究黑体辐射。
黑……黑体辐射？

黑胡椒粉
可不是黑体
……

还想和你多探讨一
下，但是对你来说
好像太难了……就
说到这里吧。

这是煤炭样本。你
拿走吧。以后一看
到它你就会想起今
天的事。
好的……

咻
呜
呜

别撒了！
嗖啊啊
哔哔
这个太上
瘾了……

唰

黑体……灰体……
白体……
喂，你嘟囔
什么呢？

才听了一半……
我得回去……

真是个奇怪
的人。完全
搞不懂……

光……
温度……
热……
辐射……
都说了萤火虫
会发光和热无
关！是因为
荧光素！

上课不认真听讲，还净说些莫名其妙的话！

吵死啦！我得回去继续听他说啊！
怒

你俩拍电视剧呢？快回去坐好。
……
……

唰
唰

老婆，快来看！Mix的照片打出来了！

啊！

Mix的眼睛好像反光了……
天哪，仿佛是来自地狱的恶魔犬……
准确地说，是恶魔昆虫犬……
啪
黑体……

哈哈！
现在正式开始露营吧！
汽车
露营地
第二话
烟花之夜

爸爸，
我们也买顶帐篷吧！
?

可以使用营地的帐篷。
别跑来跑去了！
配备烹饪工具，提供烤炉租赁服务，售卖木柴。

汽车
营地
儿子……
你睁大眼睛好好看看。

有现成的帐篷，为什么还要买帐篷？为什么？
啦 啦 啦
别乱跑了！
不亲手搭帐篷，怎么能算露营！

就好比豆包没有豆沙馅，生日蛋糕没插蜡烛！
啦 啦 啦
呃，比喻真到位。

啦 啦 啦
看来我们小多是想体验一下露营的真正乐趣。
答对了！

那你拿着这个去淘米吧。
啊！让我去？
嗖

露营的精髓是煮饭，煮饭！你不去谁去！
不要吧！

吵 吵 嚷 嚷
哎哟，好丢人。装作不认识他们好了……

哗
哗

唉，还是输给了母后大人。
搅搅

搅搅
搅搅

搅搅
……
搅搅

哐
金敏书
当
郑小多！

金敏书，你干吗总跟着我？
你说什么！明明是你跟着我！

咦？是敏书姐姐。我没告诉她我们来这里啊。
看来今天确实是偶遇。

怎么回事？我妈妈喜欢露营，所以我们一家人经常来这里。

今天我们还自己带帐篷了！
真的吗？

我……能不能帮你们……搭帐篷啊？
什么？

嘿！哈！
嘿！哈！
当
当

爸爸，我刚碰见了同班同学。他叫郑小多。
他说想来帮您搭帐篷。
您……好。
噢，是吗？我正需要帮手呢……

对了，小多。
你父母在哪里呀？
父母？
嚼
嚼

……

我的天！
妈妈让我去
淘米的！
我竟然把米
拿到这里煮
着吃了！

郑小多！你把米
拿到哪儿去了？
肯定去
那边了
……

我说得没
错吧？
郑小多……
你在这儿干什么？
无语

真不好意思。我家这个孩子从小爱串门儿，给你们添麻烦啦……

没有的事。我们是小多的朋友——敏书的父母。
小多帮我搭了帐篷。

一不小心用小多的米煮了饭，咱们就一起吃吧。
可……可以吗？

砰

砰
砰
哇！

真美啊……和我一样美……
砰
晕！
不……是和咱俩一样美。
你俩干什么呢?!
对，对！
击掌

都是自恋狂啊……

砰
唉……她俩可真奇怪……

砰
咦？

啊！这是怎么回事？
？

砰
烟花里映出了敏书的脸，我这是怎么了？

咻呜

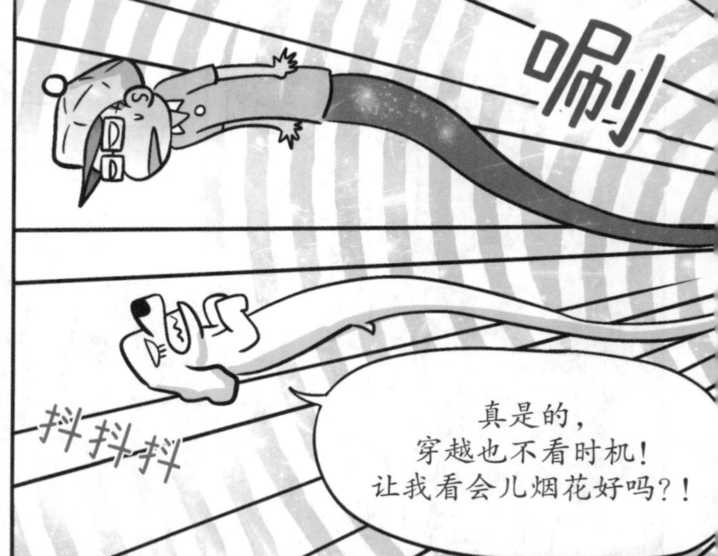
唰
抖抖抖
真是的，穿越也不看时机！让我看会儿烟花好吗？！

1900年　马克斯·普朗克
工作的研究所

嗯。
咦？又回到马克斯·普朗克工作的研究所了。
这里好像来过……

你们俩是谁？

又见面了，普朗克叔叔。
又见面？你这么奇怪的小孩我可是第一次见。

呃，也就是说……我正欣赏着五颜六色的烟花，不知为什么就来到了这里……
抖抖抖
又来！又开始了！

！
烟花？五颜六色？嗯，我正好也在思考这个问题。

上次您说到了黑体辐射。
!

啊，难道……你听到了以前我和学生的对话？
他不记得我了。
莫非……这位天才记性不好？

1900
上次来的时候日历显示是1899年，现在是1900年。这是一年之后的“未来”啊……
真奇怪，竟然没有回到更早的过去。

黑体是不反射光的物体。
不反射光的物体……
看来不是这个……
唰
唰

黑体难道是……
……
啊——
呜哇！

不是那种可怕的怪物，是跟光和温度有关的假想物体……
是像煤炭那样的？
呜哇
快走开！

听说煤炭这样的黑色物体在常温下基本不发出可见光，总体上是吸收光的。
是的，没错。
嘿哈！

但是煤炭吸收了足够的光和热后，

就会释放出能量，这被称为能量释放。
发射！

随着温度的升高，发出的光也越来越强。
发射！
噼里啪啦巴里巴拉！
高温
更高的温度

1893年，德国物理学家威廉·维恩有了重大发现。

第一，不管在什么温度下，物体都能发出各种波长的光，但某特定波长的光最强。
我所呈现的颜色由辐射最强的光的波长决定！

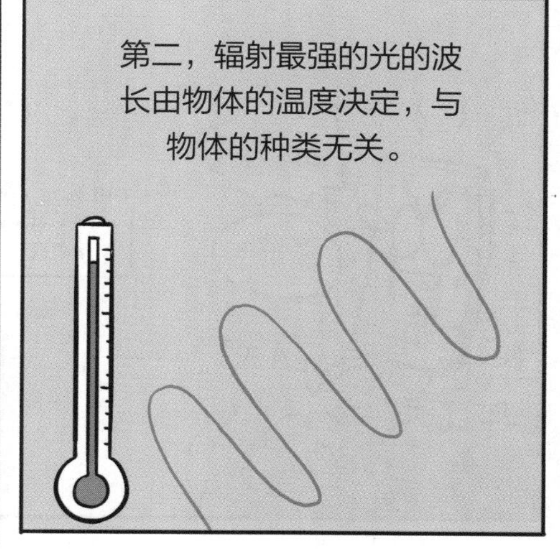
第二，辐射最强的光的波长由物体的温度决定，与物体的种类无关。

有点儿……难吧？
简单给你说明一下。
发蒙

用铁来举例吧。
咚

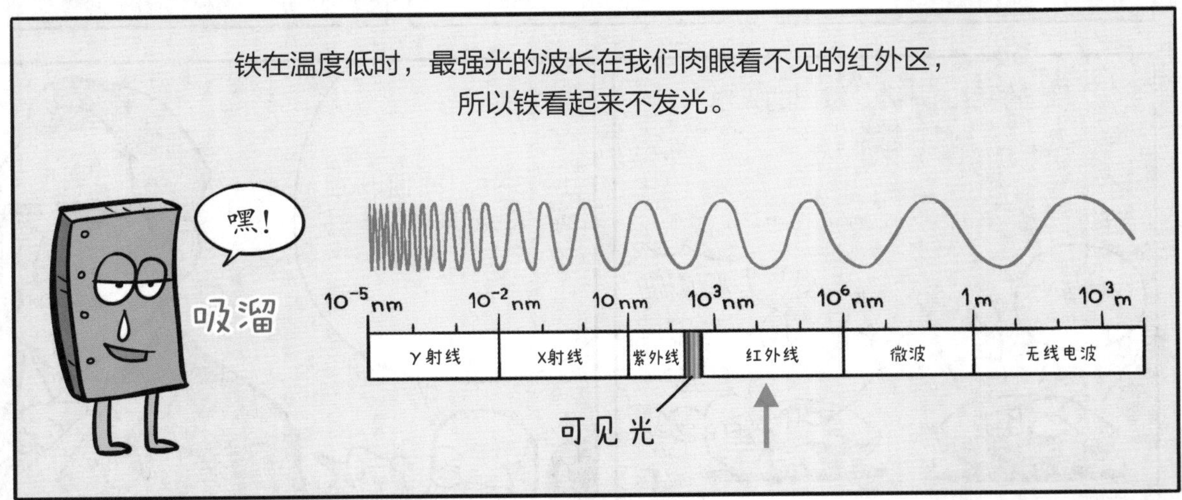
铁在温度低时，最强光的波长在我们肉眼看不见的红外区，
所以铁看起来不发光。
嘿！
吸溜
10^{-5}nm
10^{-2}nm
10nm
10^{3}nm
10^{6}nm
1m
10^{3}m
γ射线
X射线
紫外线
红外线
微波
无线电波
可见光

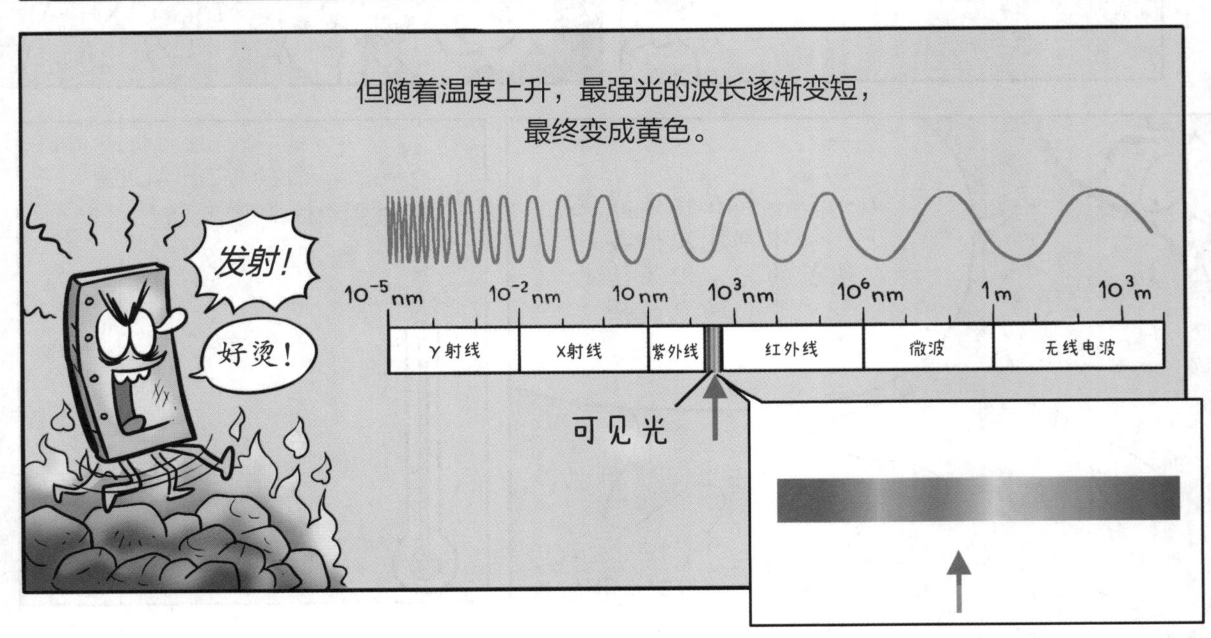
但随着温度上升，最强光的波长逐渐变短，
最终变成黄色。
发射！
好烫！
10^{-5}nm
10^{-2}nm
10nm
10^{3}nm
10^{6}nm
1m
10^{3}m
γ射线
X射线
紫外线
红外线
微波
无线电波
可见光

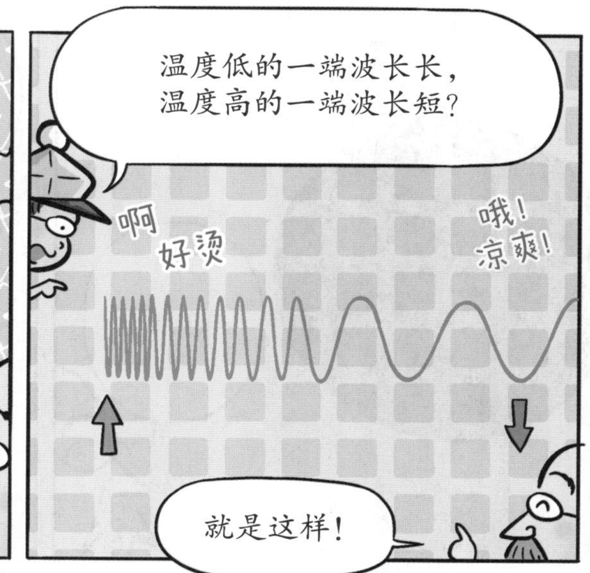

所谓黑体，你就想象在一个中空的物体上扎了一个非常小的针孔。

光在物体内部四处反射，很难通过针孔出去对吧？

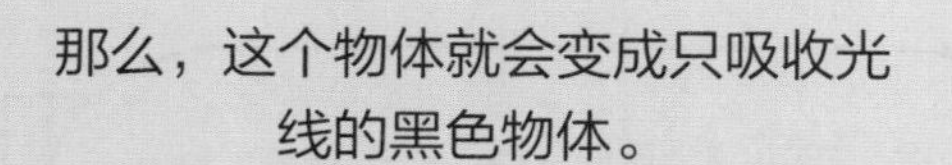
那么，这个物体就会变成只吸收光线的黑色物体。

我们把它叫作黑体。

那么黑体永远无法发光吗?
羡慕
哇哈哈
好可怜……
不，也不一定。

黑体不断吸收光之后也能从针孔中发出光!
啊，我也能发光!

但从黑体发出的光与黑体的材料完全无关……
……

只与黑体的温度有关。
光是我表达心情（温度）的方式……
波长

这和威廉·维恩的观点完全吻合。
我说得对吧?

那么，我们就可以根据黑体发出的光……
γ射线
X射线
紫外线
红外线
无线电波

知道黑体的温度？
没错！
我很烫吗？

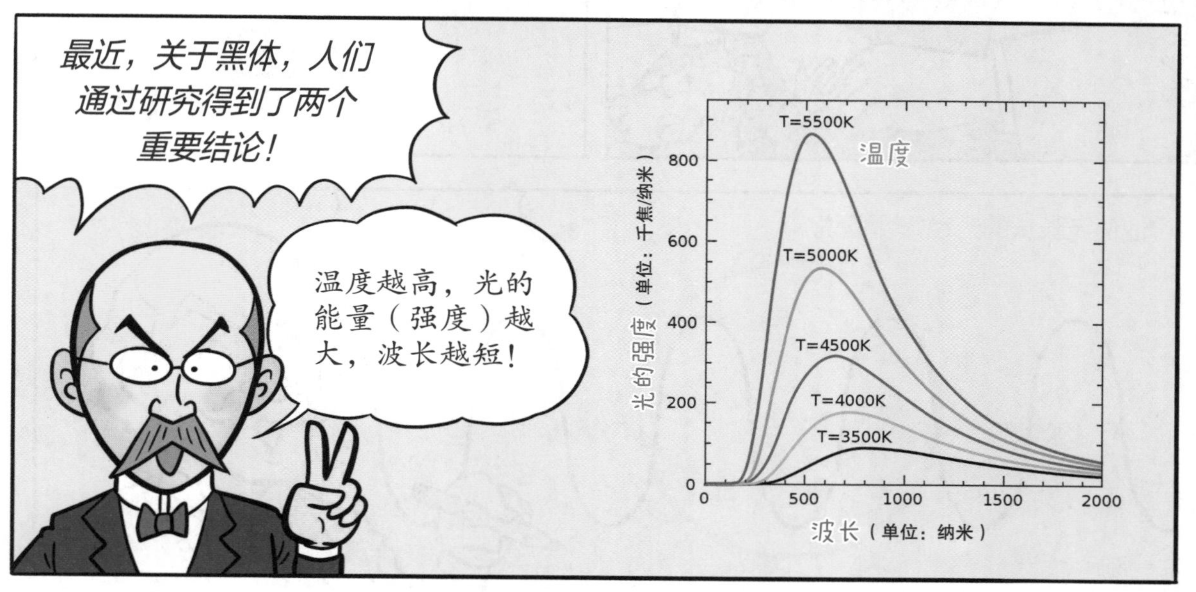
最近，关于黑体，人们通过研究得到了两个重要结论！
温度越高，光的能量（强度）越大，波长越短！
T=5500K
温度
T=5000K
T=4500K
T=4000K
T=3500K
光的强度（单位：千焦/纳米）
800
600
400
200
0
0
500
1000
1500
2000
波长（单位：纳米）

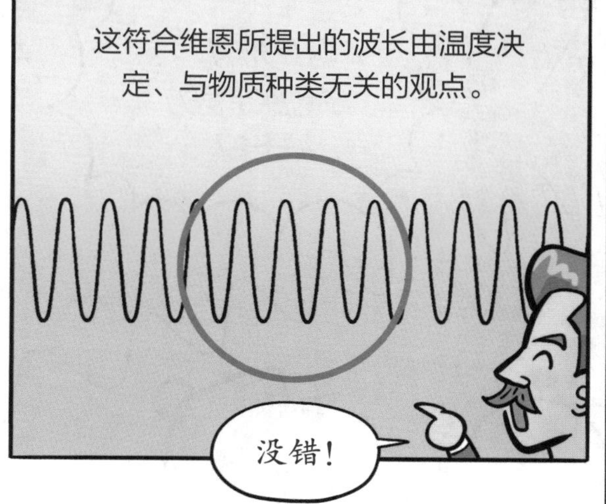
这符合维恩所提出的波长由温度决定、与物质种类无关的观点。
没错！

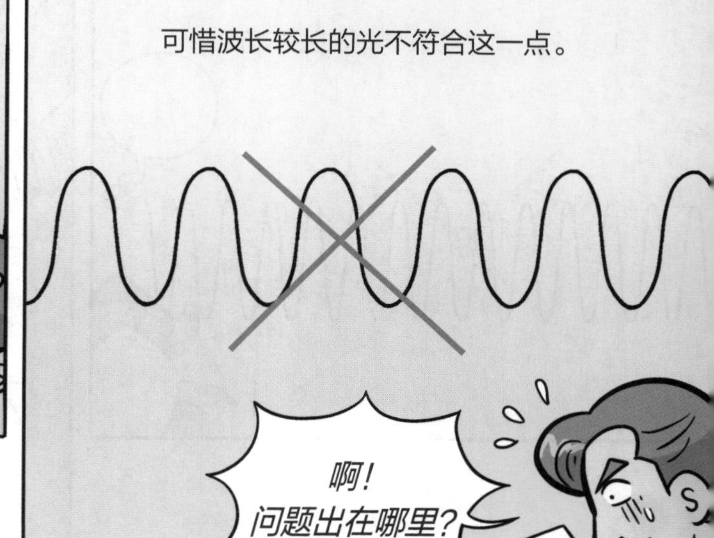
可惜波长较长的光不符合这一点。
啊！
问题出在哪里？

但英国物理学家约翰·威廉·斯特拉特提出了能解释波长长的光的能量的假说。

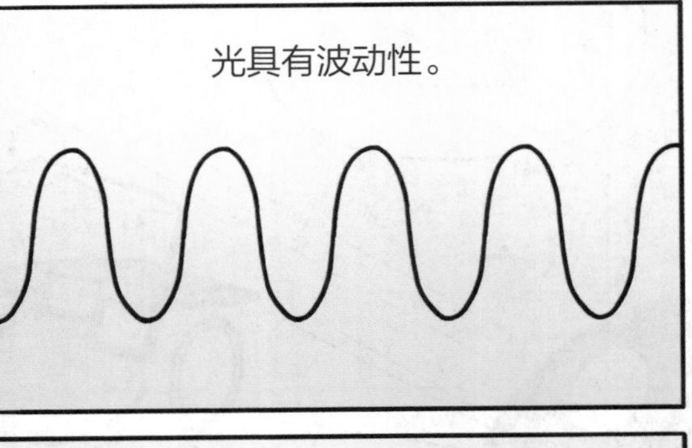
光具有波动性。

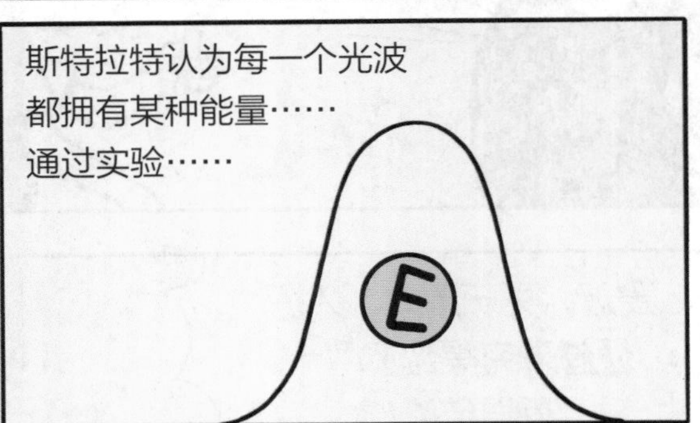
斯特拉特认为每一个光波
都拥有某种能量……
通过实验……
E

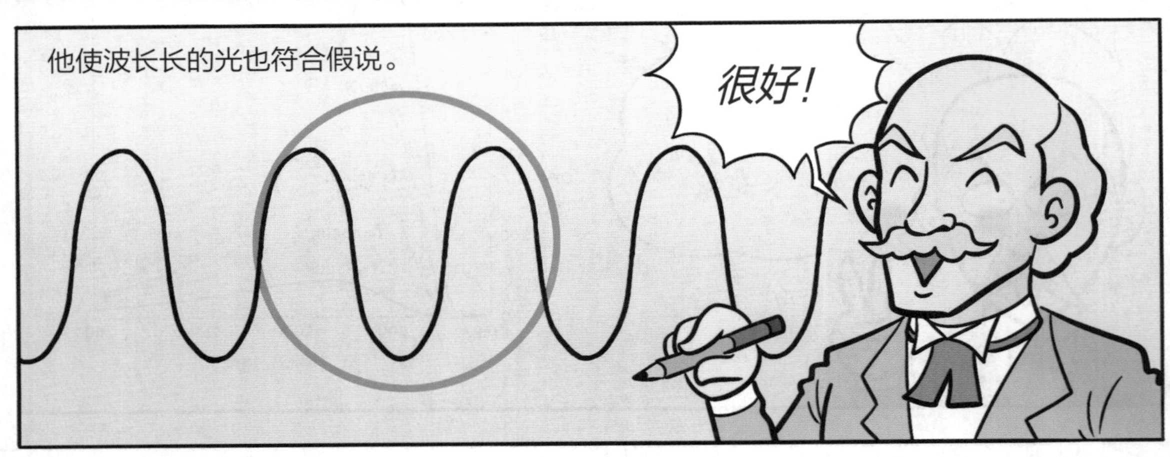
他使波长长的光也符合假说。
很好！

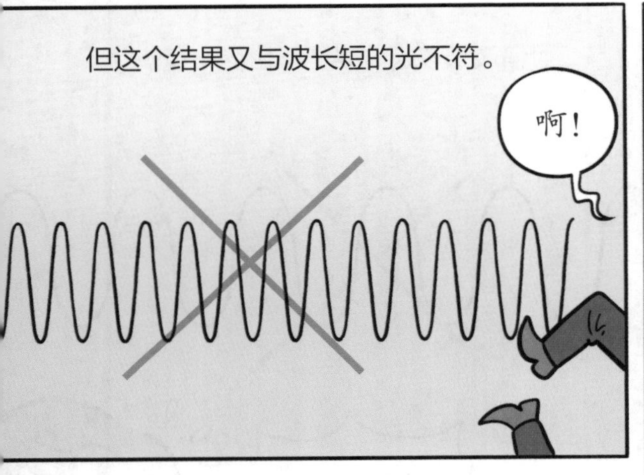
但这个结果又与波长短的光不符。
啊！

啊！光啊，
你到底是何方
神圣？！
汪！

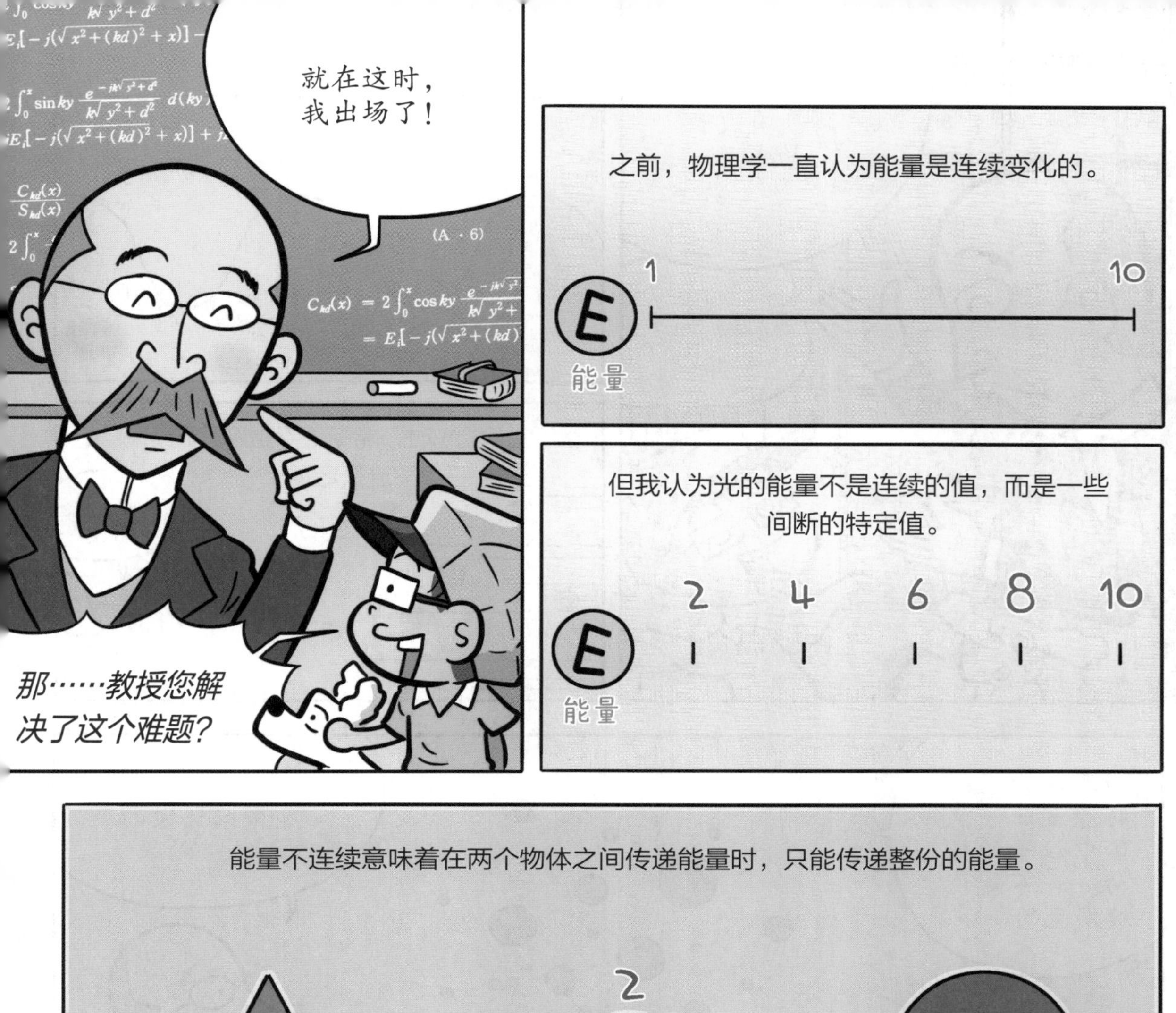
就在这时，我出场了！
那……教授您解决了这个难题?
之前，物理学一直认为能量是连续变化的。
1
10
E
能量
但我认为光的能量不是连续的值，而是一些间断的特定值。
2
4
6
8
10
E
能量

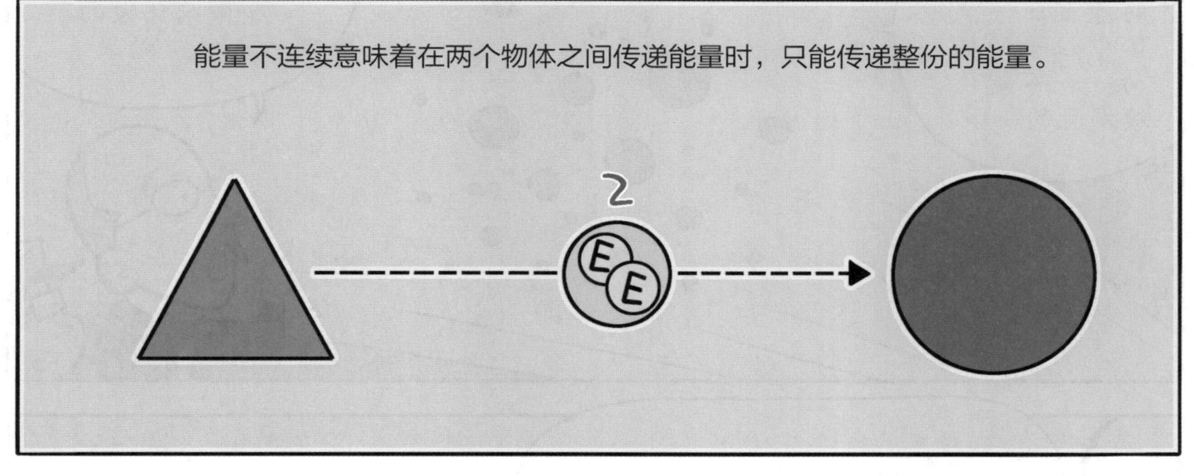
能量不连续意味着在两个物体之间传递能量时，只能传递整份的能量。
2
E
E

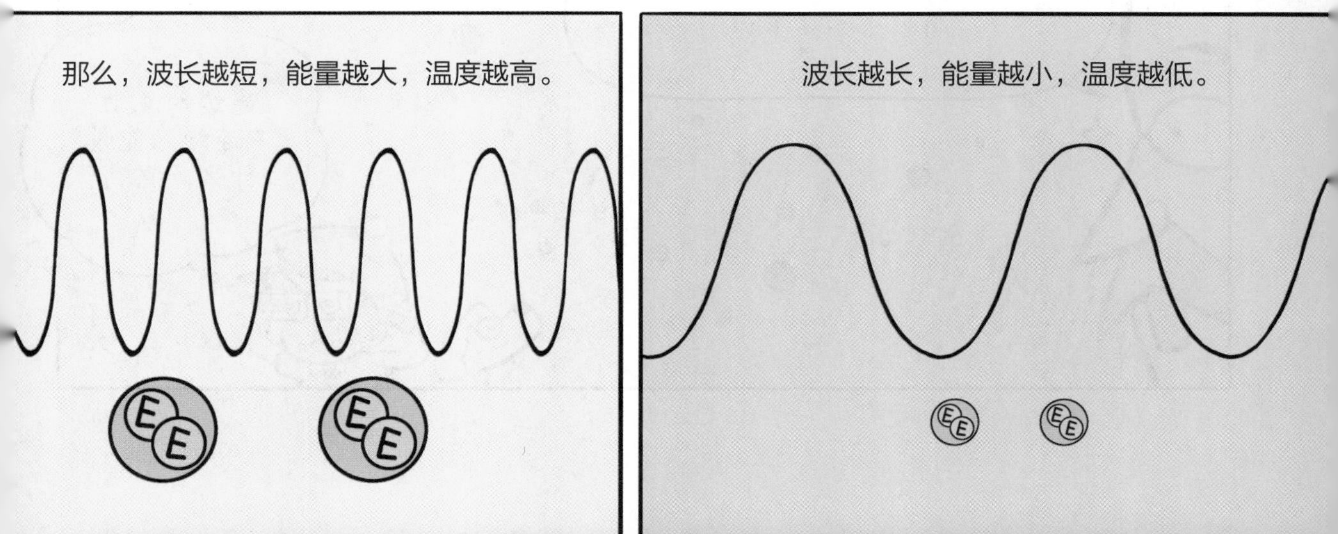
那么，波长越短，能量越大，温度越高。
波长越长，能量越小，温度越低。

这样就能解释所有波长的光了。
呃，似懂非懂，好难啊！

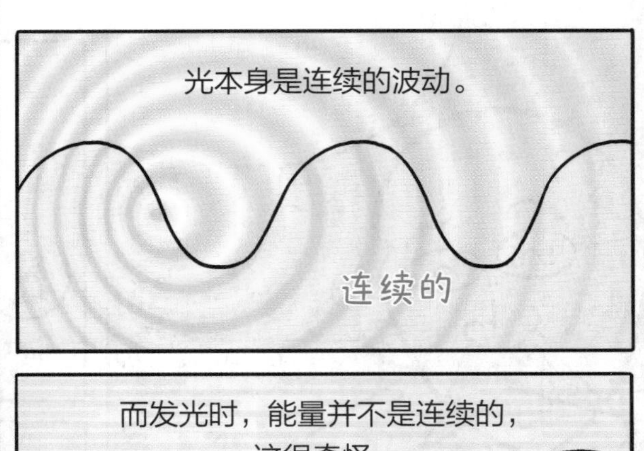
光本身是连续的波动。
连续的

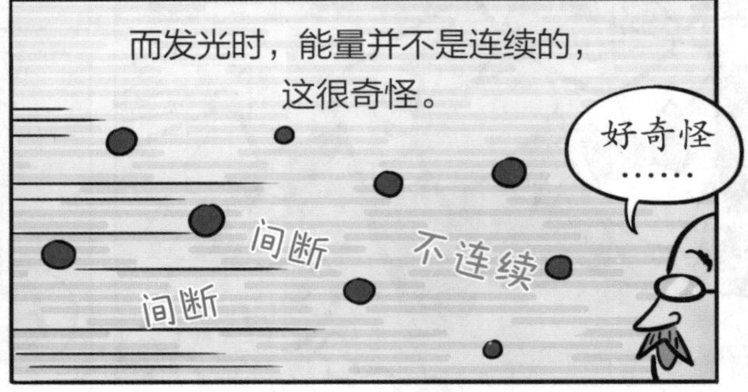
而发光时，能量并不是连续的，这很奇怪。
好奇怪……
间断
不连续
间断

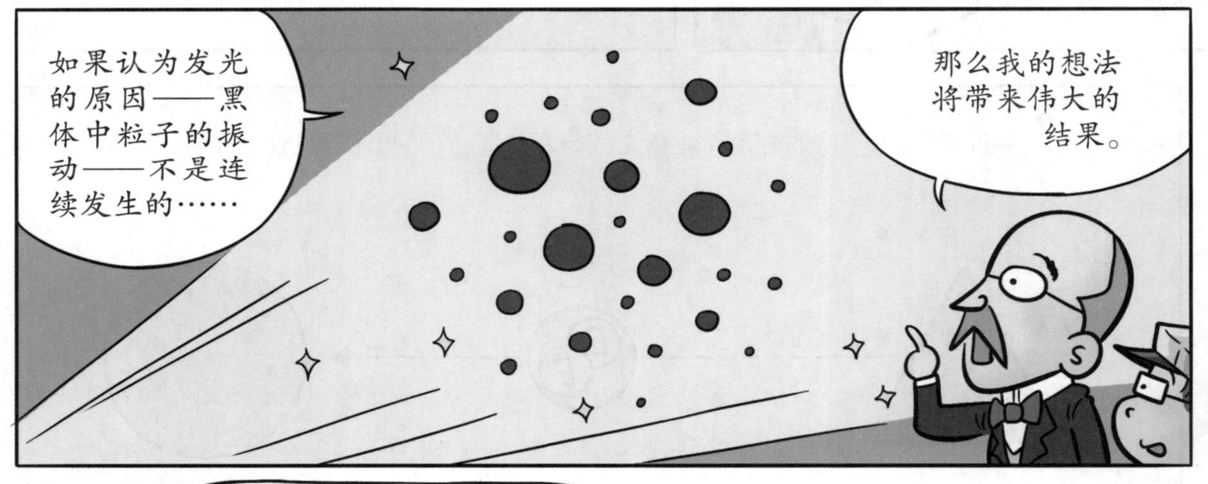
如果认为发光的原因——黑体中粒子的振动——不是连续发生的……
那么我的想法将带来伟大的结果。

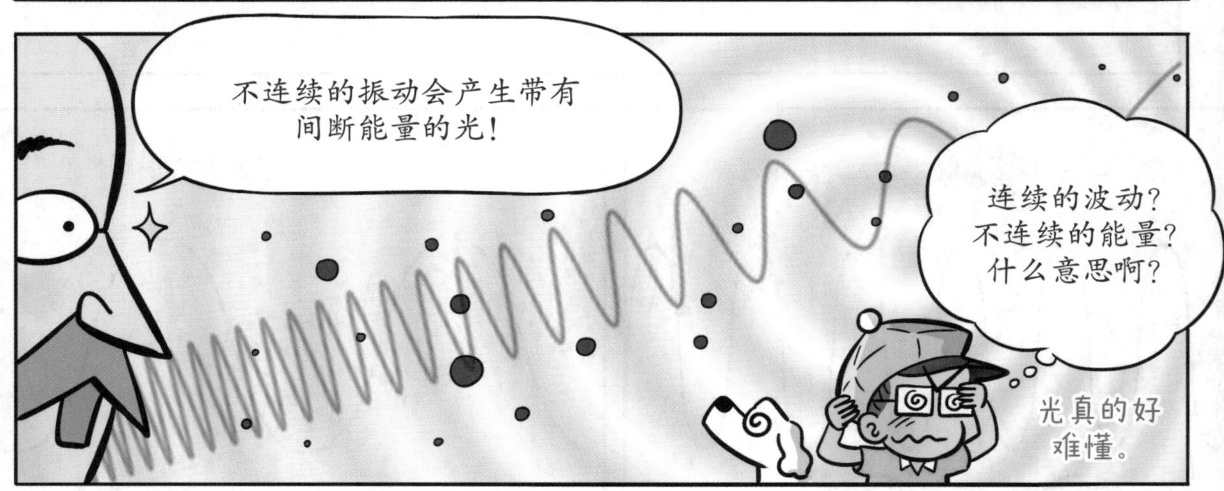
不连续的振动会产生带有间断能量的光！
连续的波动？不连续的能量？什么意思啊？
光真的好难懂。

还有不懂的就看看这本笔记。我都整理在里面了。
谢谢您，但我不知道能不能看懂……

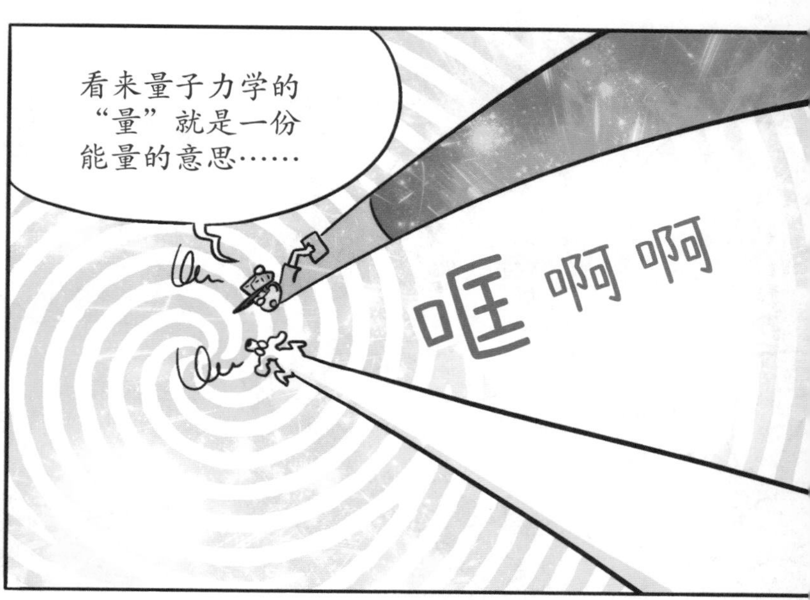
看来量子力学的“量”就是一份能量的意思……
哐啊啊

砰
砰
砰

这烟花的颜色也是由其发出的最强光决定的吧……
什么？

具有不连续能量的光……

第三话
光也是一粒粒的
好，来吧！我先挖出茎，你们跟在我后面挖土豆！
爸爸每次来爷爷家都切换成“劳动模式”。
挥动
拿着锄头……好吓人……

那也比哥哥的“度假模式”强多了。
多享受自然吧！
嗖
喂！

我们来比赛，看谁挖的土豆最大！

没问题！开挖！
切换成“比赛模式”了……
啪
啪

啊！
地里有超大
的蚯蚓！
啪

呃？

哇，
比我的头还大的
超级大土豆！
我是第一名！
哐

谁说你是
第一名？
哎
这不
可能！
漫画嘛。

哈哈，
这个土豆
像雪人。

哈哈，我这个
土豆像汽车！
无语

哈哈！
这个土豆像恐龙！
嗷呜！
洪画家，这个也太夸张了吧！
漫画的核心就是想象力嘛。敬请观赏。
嗡
好吧，既然如此，那就尽情发挥吧。
尽情发挥？哇哦，好嘞！
唰唰
沙沙
噗
啊
大土豆！
啊！
土豆怪兽来了！
土豆，土豆！
薯片真好吃！
红薯，红薯！
我们是土豆，红薯快走开！
乱套

土豆共和国和红薯王国爆发了战争！
红薯，红薯！
我乐意。
这不是发挥想象力，这是乱画一气。

刺 刺 刺

♬

孩子们，吃点儿东西再干活。
奶奶，爷爷！
好吃的！

哇，看起来好好吃！

吧唧
吧唧
嚼嚼
别噎着，
慢慢吃。

爸爸真厉害。
研究了一辈子
物理，现在却
在乡下务农。
该做的都做了
该回归自然了

快看，
爷爷！
我挖到了和头一
样大的土豆！
这土豆比爷爷
的头还大呢！
厉害吧？
举起
非得拿我的
头来比吗？

嗡
！

瓢虫！
嗒

啪
啊！
怎么回事？
又是敏书的脸！
啪

！
嗡

啊，我要疯了！为什么敏书总是出现！
嗡
？

敏书？
敏书姐姐怎么了？
啊，没什么，
没什么。

应该是在太阳下晒太久了，快去树荫下休息吧。

爷爷考考你们
好不好?
好!

土豆和以下哪
种植物属于同
一科?

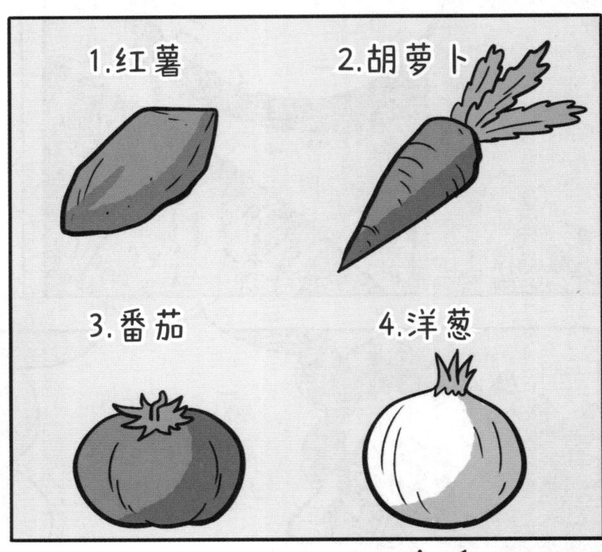
1.红薯
2.胡萝卜
3.番茄
4.洋葱

唰
我知道!
是红薯!
又兴奋了。

胡萝卜?
错!
大受打击

那就是洋葱喽?
错!
错!
兴奋

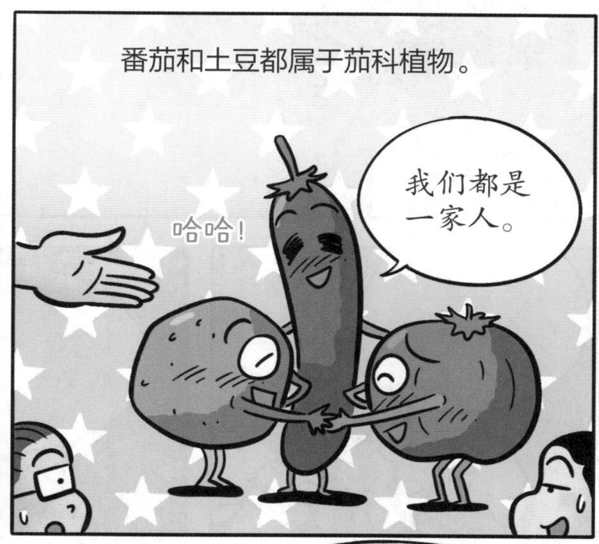

花长得很像，结果的方式也类似。

土豆花

番茄花

啊！
塞
塞
我也要

嗯，真好吃。
是鱿鱼吗？
有点儿像鱼干。
嚼
嚼

是牛蛙干。
噗！

啊，
真好啊！

星星
真多啊。
这在城市里
可看不到。

像河一样横在天空中的
明亮的光带就是银河。
银河？
那么……
牛郎星和织女
星在哪里呢？
在那儿。

牛郎星是天鹰座的
α星——Altair。
Altair
（牛郎星）

Vega
（织女星）
织女星是天琴座的
α星——Vega。

拍摄星星很难的。要调整好曝光时间。
咔嚓
咔嚓

唉，真的一点儿也拍不出来！爱因斯坦，好好拍！
爱因斯坦？

我给我的相机新取的名字——爱因斯坦。
哦！

名字取得不错。实际上确实是因为爱因斯坦，人们才制造出了数码相机。
噢！

这是因为爱因斯坦发现了光电效应原理。
光电效应……是什么？

光电效应指光照射金属时，使金属发射出电子的现象。

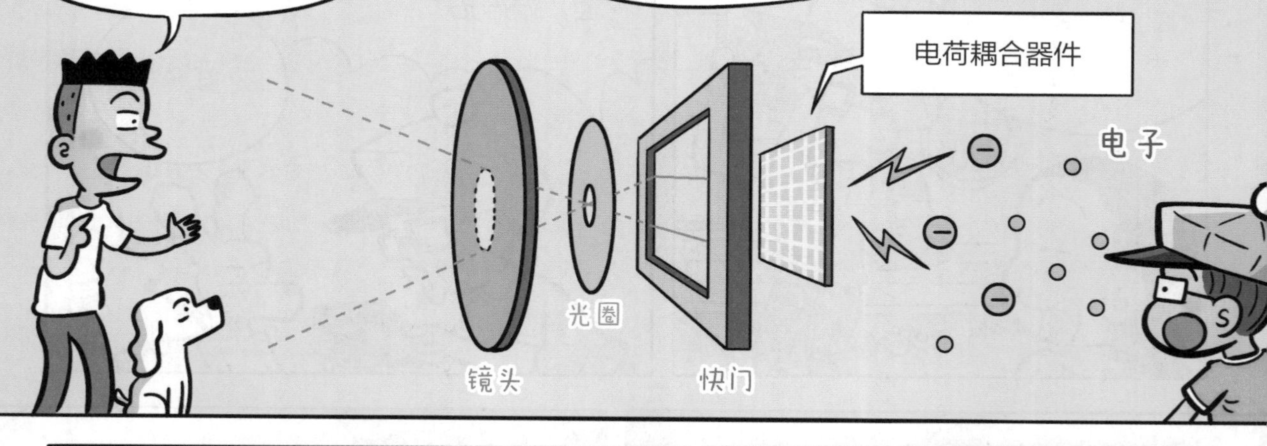
数码相机里有个名叫“电荷耦合器件”的装置。
光通过镜头进入后到达电荷耦合器件，电子就会发射出来，
从而形成电流。
电荷耦合器件
电子
光圈
镜头
快门

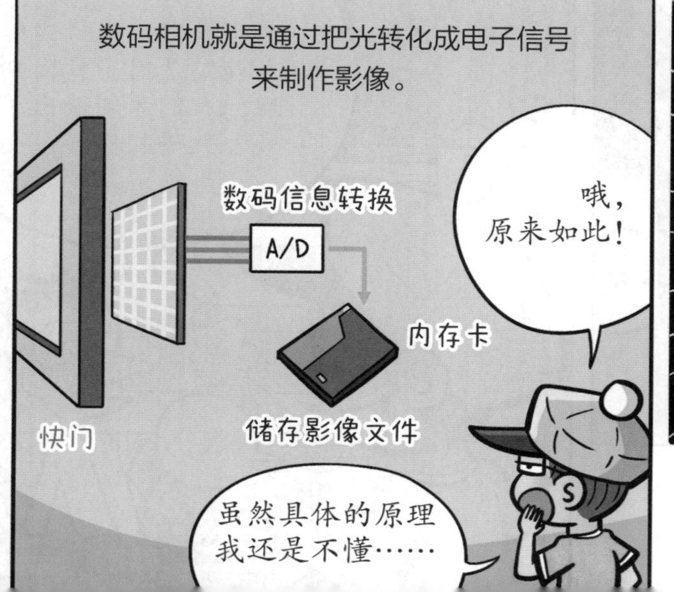
数码相机就是通过把光转化成电子信号来制作影像。
数码信息转换
A/D
内存卡
储存影像文件
快门
哦，原来如此！
虽然具体的原理我还是不懂……

啪
啊！
怎么了？停电了？

蜡烛
在哪里？
手电，
手电！
在这里！

啪
哇啊啊！

别照了，太晃眼了。
光一照，你看起来好丑，哈哈！

郑小多，
你给我闭……

我说爸爸丑，
结果受到了
惩罚……
哐啊啊…

1905年 瑞士专利局办公室

嗯哼，
嗯哼。
噻！这位
是……
咚！咚！
咦？我正在
进行思想实
验，你别妨
碍我！
思想
实验
对！
在脑子里进
行实验！

小孩子来
专利局干
什么？
总不会……是来
申请专利的吧？
这里是专利局！
那他一定就是爱
因斯坦！

不是，我对数码相
机……哦不，我对光
电效应很好奇，所以
来向您请教！
！

天哪，你这
么小的孩子
竟然知道光
电效应！

我正在苦恼该如何用普朗克教授的理论来解释光电效应。
!

上次见过的马克斯·普朗克!

5年前，也就是1900年……

德国的马克斯· 普朗克教授在进行黑体辐射研究时，对光和能量进行了思考。
我见过他
我也是

我认为黑体发出的电磁波的能量并不是连续的值。
而是特定的值，是某个单位值的倍数。
2
4
6
8
10
上次普朗克教授说过!
一份能量!

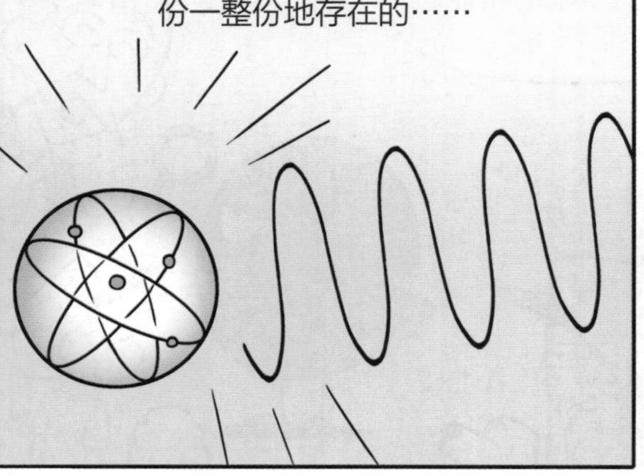

因此，原子和分子振动发出的光的能量的值也是不连续的。

E E E

我把它叫作光子假说。
粒子
光

马克斯·普朗克认为光是有着不连续的能量的波。
看来爱因斯坦的想法有所不同。

1887年，德国物理学家赫兹在做电磁波实验时发现了关于光电效应的一些有趣现象。
哇哦！

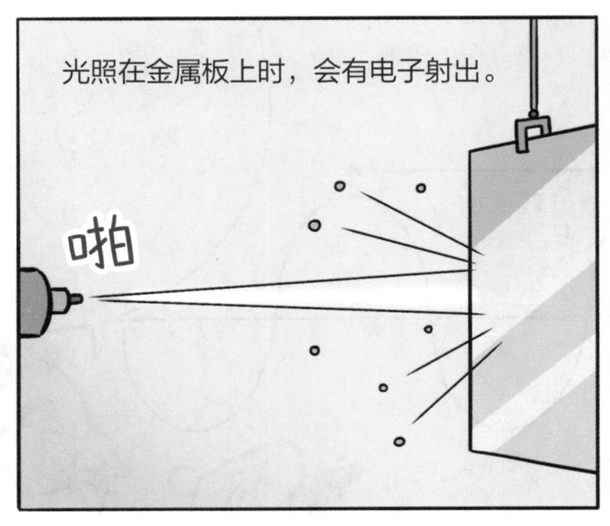
光照在金属板上时，会有电子射出。
啪

射出的电子就叫作光电子。
我是光电子！

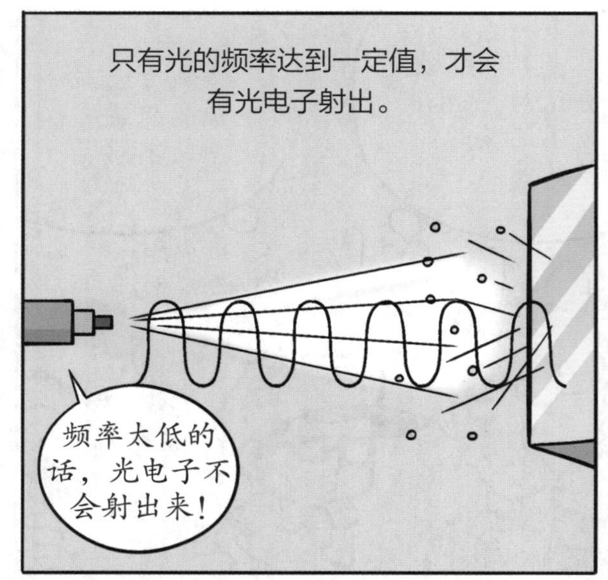

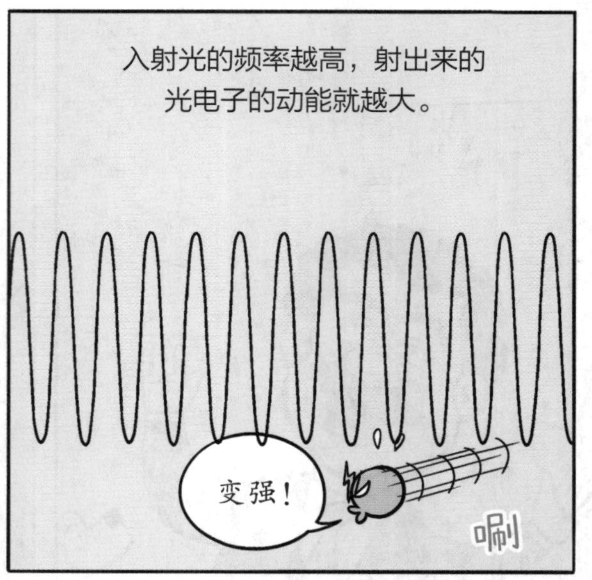

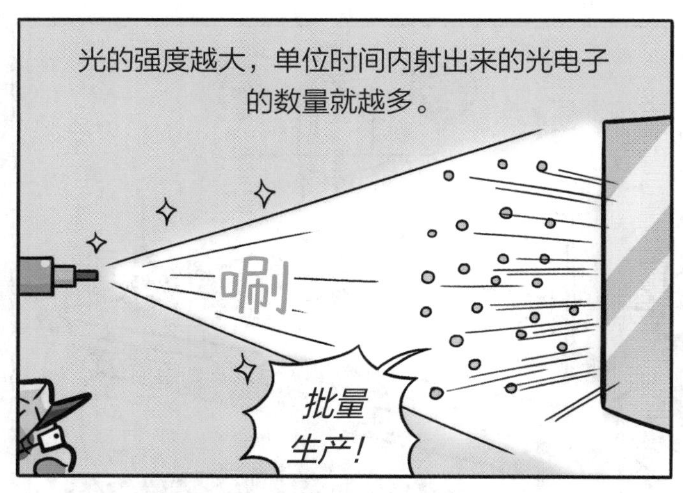

振动是物体在平衡位置附近所做的往复运动，具有周期性。这种振动向周围扩散的现象叫作波。在一个周期内，波在介质中传播的距离叫作波长。波的强度叫作振幅。

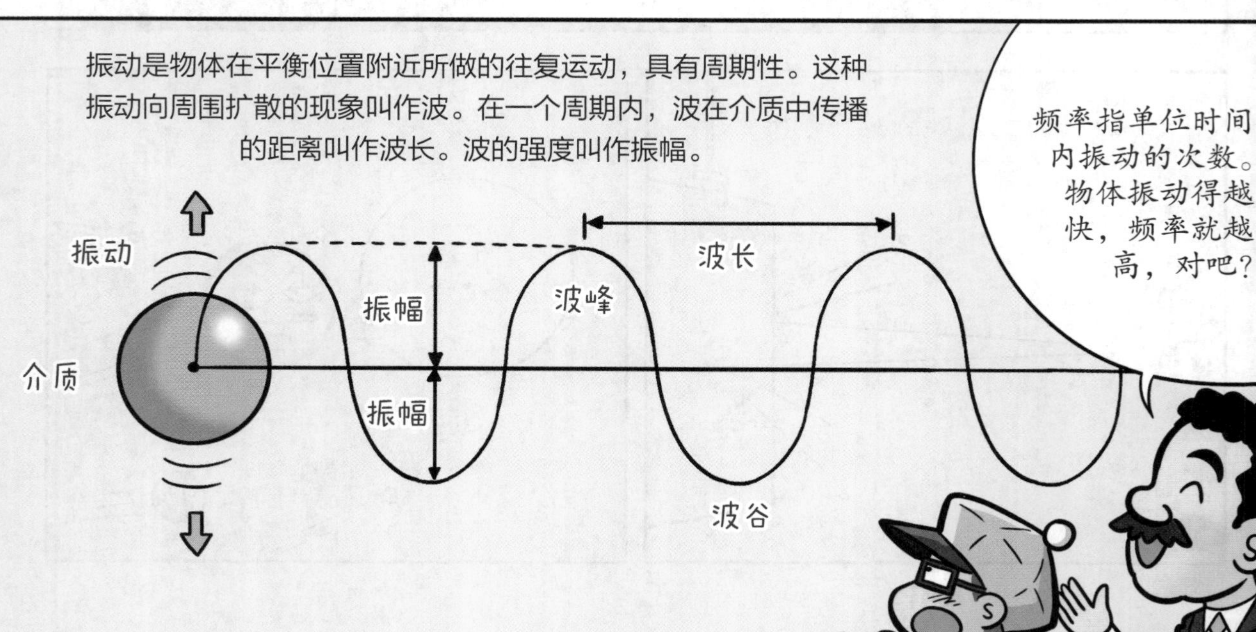

但如果认为光是一种波，那就无法解释光电现象。

所以我认为光是粒子流。

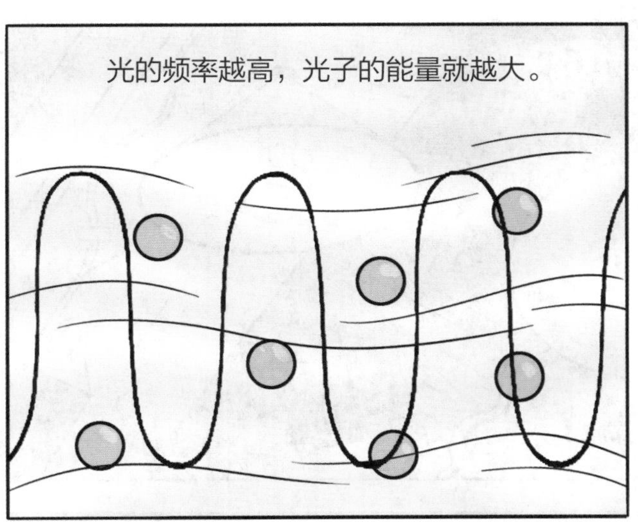
光的频率越高，光子的能量就越大。

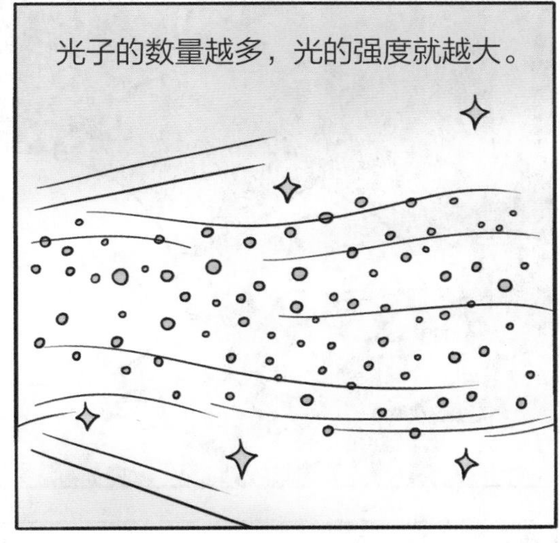
光子的数量越多，光的强度就越大。

这就是光子假说……
原来爱因斯坦认为光是粒子。

来，吃颗糖吧。你就想，光就是和这颗糖一样的粒子。
我也要！

咻
呜

唰
啊
啧啧！
啧啧！

啪
呼，总算来电了。
唰

啊，重见光明！
啧
啧
要是没有光，我们该如何生活呢？

如何生活……没有光，宇宙中就不会有生命。

爱因斯坦认为光是粒子流。
嚯！很厉害嘛！
你吃的糖是哪儿来的？

光既有粒子的特点，还有波的特点，对吗？
哇！我儿子越来越聪明了！
不是！
是不是从我包里偷的？过来！

也许还存在与现实完全不同的世界……
是爱因斯坦给我的！
小偷！

光就是那个世界的入口！

咕噜噜噜噜！
第四话
厕所里的时间是倒退的？

轰隆隆……
咕噜！
坐起
怎么回事？
打雷了吗？

砰
唉，
这是土豆饼
吃多了……
谁让他吃
那么多呢！

呃，
实在忍不
住了！
坐起
？

哐 砰
噗噜噜
扑啦啦
哇，好神奇！
好像爆炸声！

大晚上的，
怎么回事？
小多好像拉肚子了。可能是土豆饼吃多了。

哎哟，是不是我做的土豆饼太好吃了？
小多不舒服，
快去拿药来！

虚脱

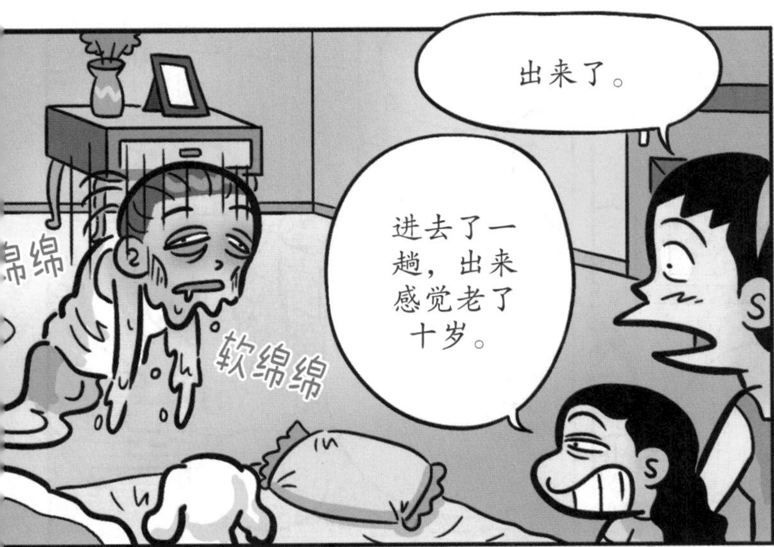
出来了。
绵绵
进去了一趟，出来感觉老了十岁。
软绵绵

咕噜噜噜
啊！

砰

噗通通
突突突！
咻
哈哈！像打仗一样！
别笑了！哥哥生病你还笑得出来？

儿子，没事吧？

我正在以光速腹泻……
惊吓
嘶啪

你知道光速有多快吗？
当然，在真空中30万千米/秒。1秒能绕地球转7圈。

那么，说起光，你最先想到的科学家是谁呢？
我都这样了，还得回答问题？爱因斯坦！
噢！
孩子都这样了，还问什么呢。

理由呢？
光电效应……用光照射金属，会有电子射出……啊！
哇哦！

哇哈哈！儿子得了急性腹泻，脑子却变聪明了！
哥哥生病了，你还笑得出来？

爱因斯坦认为光不是连续的波，而是运动的粒子流，成功地解释了光电效应。

他认为每一个光子的能量都由光的频率决定……
E
THz
E
E
THz
E
E
E

而光的强度由光子的数量决定。

这就是光子假说，嗯嗯嗯嗯……

是的，爱因斯坦的光子假说发展了马克斯·普朗克的量子假说，对完善量子力学做出了重大贡献。
光子假说
量子
力学
量子假说

我孙子可真聪明。太厉害了！
土豆饼也吃得多！

当时大部分人认为光具有波的特性。
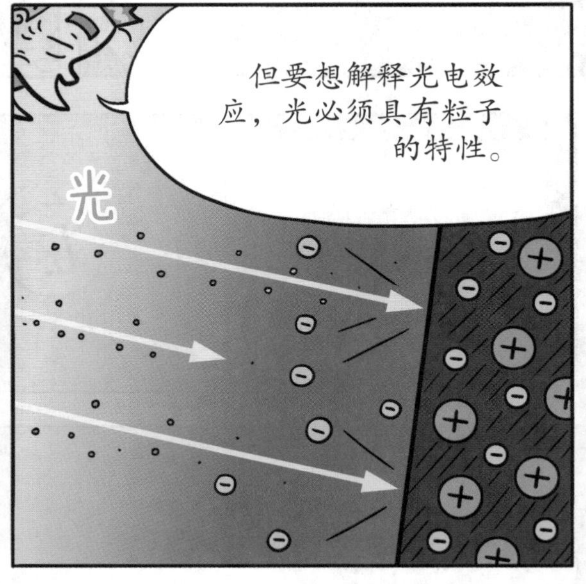
但要想解释光电效应，光必须具有粒子的特性。
光
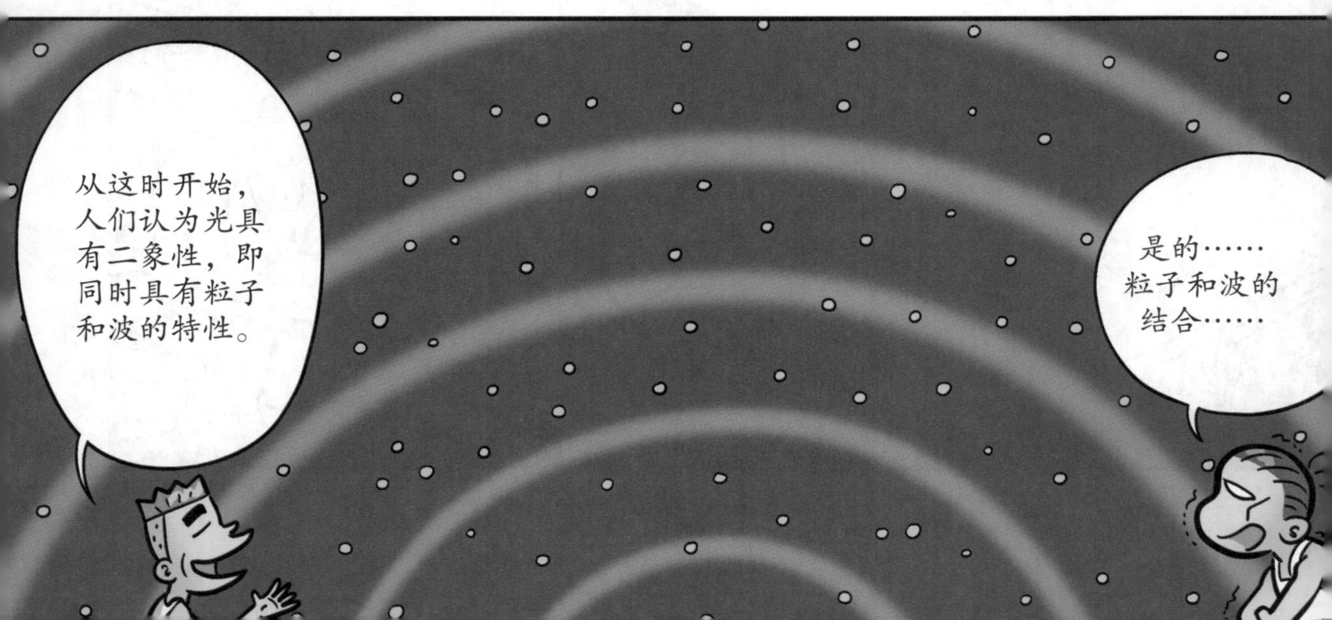
从这时开始，人们认为光具有二象性，即同时具有粒子和波的特性。
是的……粒子和波的结合……

咻呜

一把抓住
我——正在上厕所！这穿越也太没有人性了吧！
屁股擦干净了吗？

再次回到1905年
瑞士专利局办公室

咦？又回到专利局了。
爱因斯坦还是老样子……

爱因斯坦叔叔，您好。又见面了。
嚯，
我一跳！

你……
这是怎么了？
你是个流浪儿吗？
而且我从没见过你啊……
不是……
我拉肚子了……

奇怪……和马克斯·普朗克一样，爱因斯坦也不记得我了……
看来只有我保留着时空穿梭时的记忆？

要想申请专利，就先填表吧。
我们……不是来申请专利的……

来都来了，申请一个吧！穿越时空的专利！
嘿
嘿
别笑了！

！

怎么了

请问厕所在哪儿？呃啊……
又来！
在那边！

唰
哐
能申请个拉肚子专利吗……

0分钟后
厄，真惨，
我可看不下
去了！
颤悠悠
颤悠悠
好像一只忧郁的蜗牛。

你好像很不舒服，要带你去医院吗？
不用了……
反正也拉不出什么了……
好可怕……

那你快回家吧。我还得继续进行思想实验呢。

我现在……
正在思考
相对论！
就是那个狭义相对论吗？

噢，不错！
狭义相对论！前面加上“狭义”两个字，
非常贴切！

举起
你是从我脑子里跳出来的吗？
真厉害！
啊！别碰我，小心我又要拉！

抱歉……
话说，狭义相对论是什么意思呢？

狭义相对论的
原理很简单。

在任何情况
下，光速都
是不变的。
光速不变
原理！

你想象自己在一列
以10万千米/秒的速
度飞驰的列车中。
列车穿过黑暗，
飞向银河！
嗖嗖
银河列车999
哇，超级
无敌快！

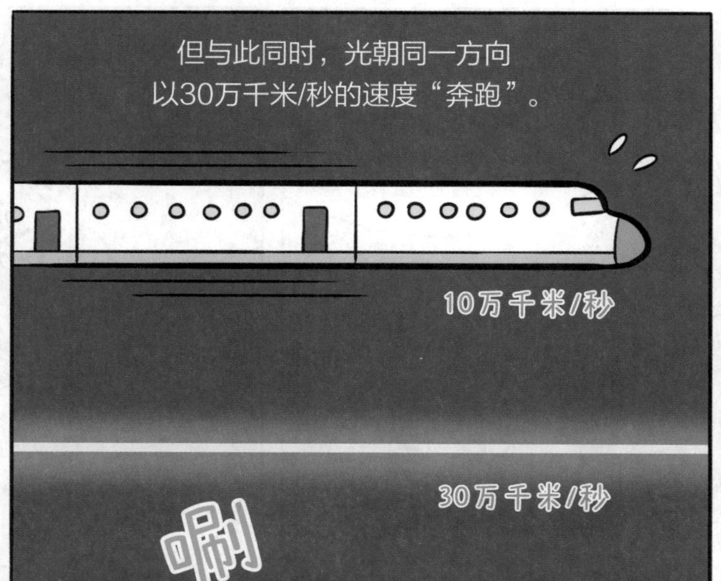
但与此同时，光朝同一方向
以30万千米/秒的速度“奔跑”。
10万千米/秒
30万千米/秒
唰

那么你所看
到的光速是
多少呢？
……

嗯……
30万千米/秒-10万千米/秒=
20万千米/秒！
10万千米/秒
30万千米/秒

应该会看到光以
20万千米/秒的速度
向前“奔跑”。

错

啪
不是的！光速
看起来依然是
30万千米/秒！
这不可能！

啪
好，我再
问你！
什么？

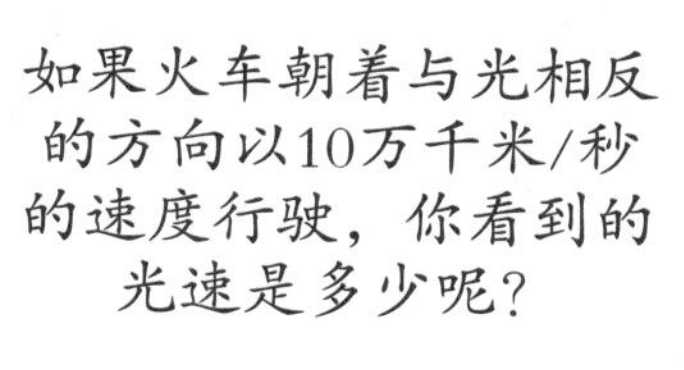
如果火车朝着与光相反
的方向以10万千米/秒
的速度行驶，你看到的
光速是多少呢？

……
嗖 嗖
10万千米/秒

唰
30万千米/秒

那就是
10万千米/秒+30万千米/秒=40万千米/秒
我的速度加上光的速度……

所以，40万千米/秒……
错……

是不可能的！
嘎

光速依然是30万千米/秒，对吗？
回答正确

是的，这就是光速不变原理。
在任何情况下，光的速度永远是30万千米/秒！
我可是很专一的！
唰

一次30万千米，永远30万千米！
好，好。你说得对！一日从军，终身是兵！
唰

看来光是至尊王者！
我很厉害的！
棒棒的！

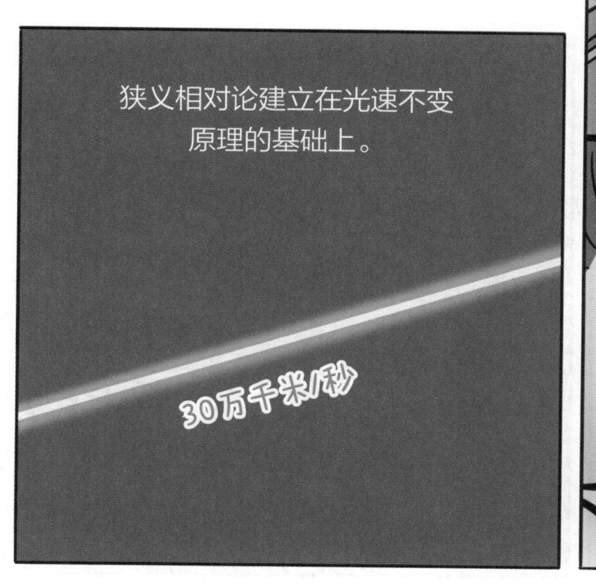
狭义相对论建立在光速不变原理的基础上。
30万千米/秒

物体的运动状态和运动时间都是相对于观察者所处的参考系而言的。
光在向前运动。
因此，没有绝对的运动和时间。

莫非，上课时时间过得慢……

玩游戏时时间过得快，也是因为相对论？
不是啦……

这是全新的物理定律，和牛顿所主张的运动定律完全不同。

牛顿
无论怎么看，那个苹果都是在绝对静止的空间中做绝对运动，运动时间也是绝对的！
咚

不是的。不存在绝对运动的苹果，苹果运动的时间也会随着观察者的运动状态变化。
光速
咚

是这个意思吗？
没错！

牛顿叔叔要是知道，一定会很遗憾。自己说的是错的……

不，正好相反！

他一定会很高兴，因为人类对宇宙的探索又迈出了一大步。

看
狭义
相对论
通过狭义相对论看世界，会发现很多神奇的现象。

第一，
在我看来同时发生
的事……
嗖
嗖

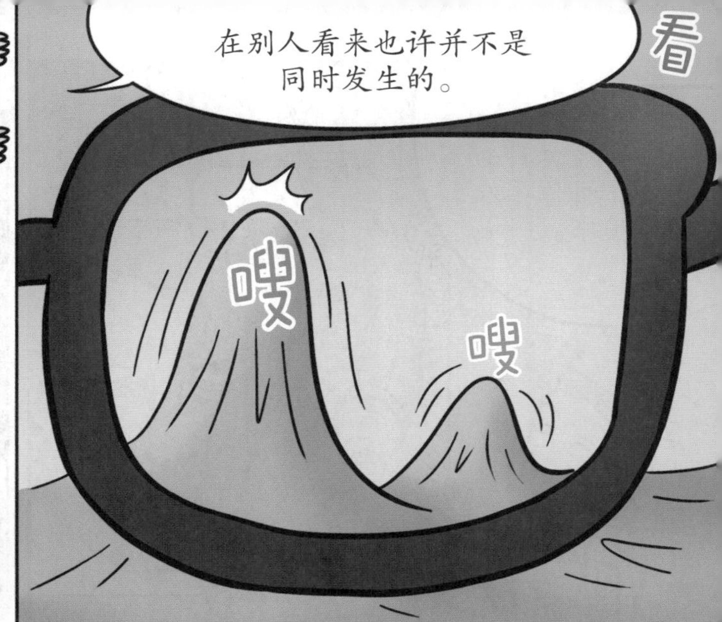
在别人看来也许并不是
同时发生的。
看
嗖
嗖

这会随着观察
者的运动状态
变化。
唰

第二……

运动的时钟比静止的时钟走得慢；

运动的情况下物体会变短。

啊！以前我和爸爸一起看过一部经典科幻片，叫作《人猿星球》……
PLANET OF THE APES

这部电影说的是，宇宙飞船高速飞离地球，
嗖
访问行星后又回到了地球。

但是，地球上的时间已经过去了很久，家人都死了，国家也不存在了。

猿猴们已经主宰了地球。

没错！这就是“双生子佯谬”。

说的是双胞胎中的一人进行太空旅行，另一人留在地球，两人会以不一样的速度老去。
姐姐！
妹妹，你怎么这么老了？

总之，我在提出了狭义相对论后……

会把它发展到非惯性参考系。虽然会比较复杂……
挥

啊，他是说广义相对论！

咕噜噜
呃……您在干什么？

这茶对身体好。快喝了。

可以帮助你止泻。
谢谢您。

吸溜

咻呜

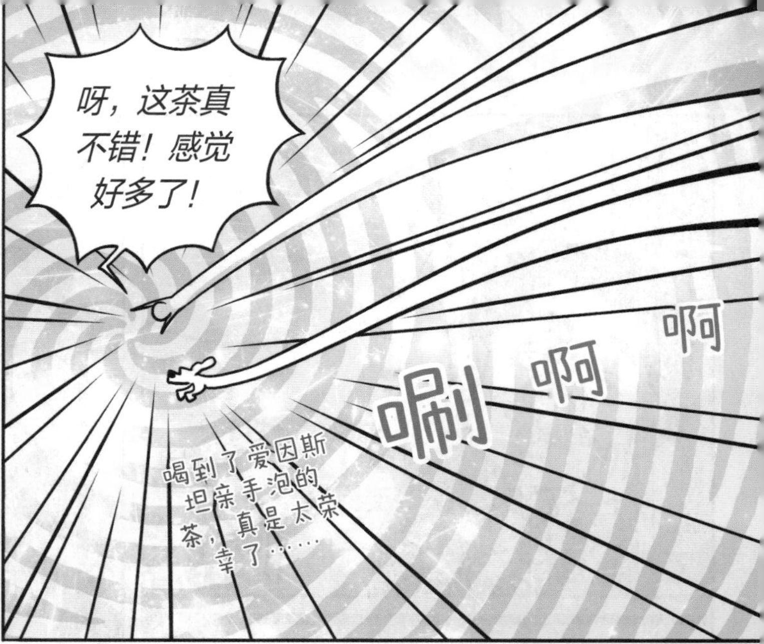
呀，这茶真不错！感觉好多了！
唰
啊
啊
喝到了爱因斯坦亲手泡的茶，真是太荣幸了……

唰

哐哐
怎么这么久不出来？小多，你没事吧？快说话！

啪
嚯！

从忧郁的蜗牛变回人啦！
怎么了？
出什么事了？
嘿嘿！

爷爷，量子力学和相对论之间是什么关系呢？

这孩子拉了一晚上肚子，竟然变聪明了。
是啊……看来可以研究一下拉肚子和脑子的关系。

相对论和量子力学有一个共同点。
量子力学
相对论
牛顿，谢谢你。多亏了你，才有了进步！
它们都超越了牛顿的经典力学，开创了物理学的新世界。

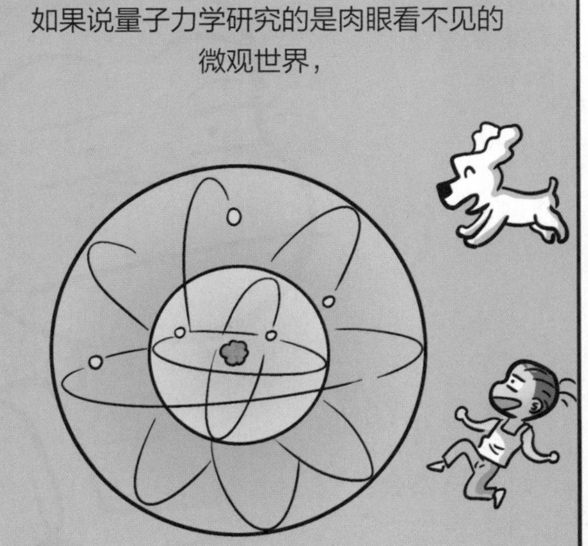
如果说量子力学研究的是肉眼看不见的微观世界，

那么相对论就是研究高速、高能世界的物理学，研究的是包括宇宙和重力在内的非常广阔的世界。

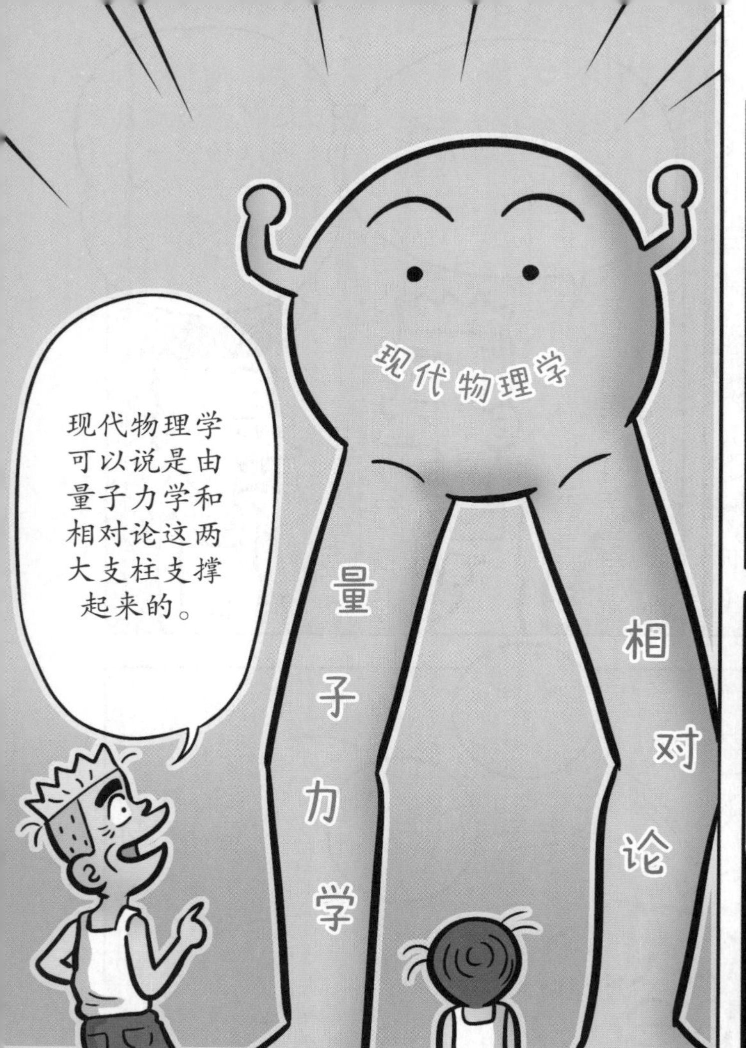
现代物理学
现代物理学可以说是由量子力学和相对论这两大支柱支撑起来的。
量子力学
相对论

现在肚子舒服了，快去睡吧。

咯吱
咯吱

呼噜噜！

宇宙的奥秘到底藏在微观世界里还是藏在宏观世界里？
人类完全掌握宇宙规律的那一天会到来吗？

吧唧
吧唧
是……谁？

咚！
都是因为你。半夜醒来，肚子好饿。
转身
晕！

嚼
嚼
我看冰箱里还有好多土豆饼，正就着泡菜吃土豆饼呢。
你……全吃了？

嚼
白天你一个人吃了那么多！

嚼
嚼
我也要吃！

咕噜噜
扑通
哐
砰
哗啦啦
又来了……
我做的土豆饼这么好吃吗……
老婆！

挑战！

爱因斯坦的判断题

❶ 爱因斯坦提出了光子假说，认为光是由粒子组成的。 ○ ✖

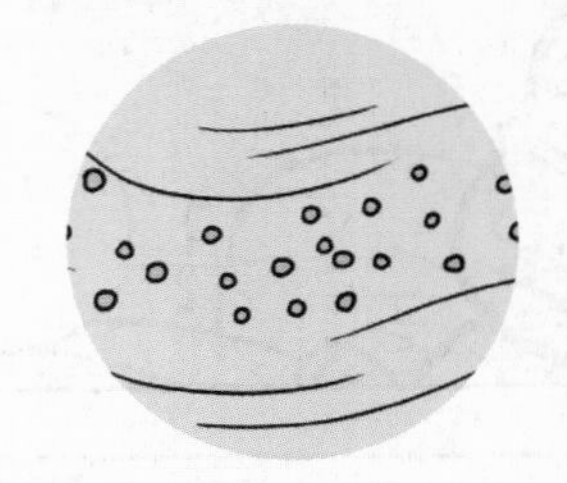

❷ 把光看成波，就能解释光电效应。 ○ ✖

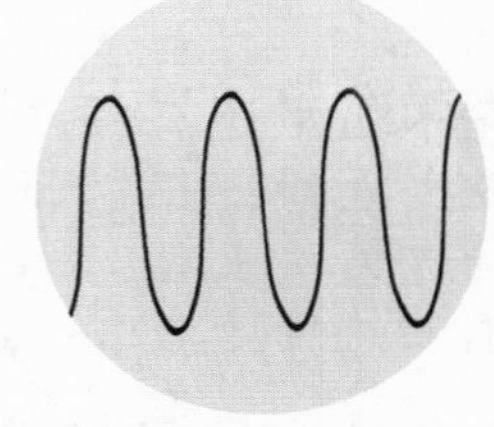

❸ 根据光子假说，光的频率越高，光子的能量就越小。 ○ ✖

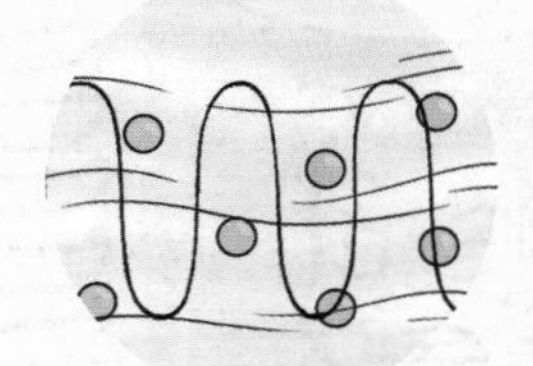

❹ 根据光子假说，光的强度增加意味着光子变多。 ○ ✖

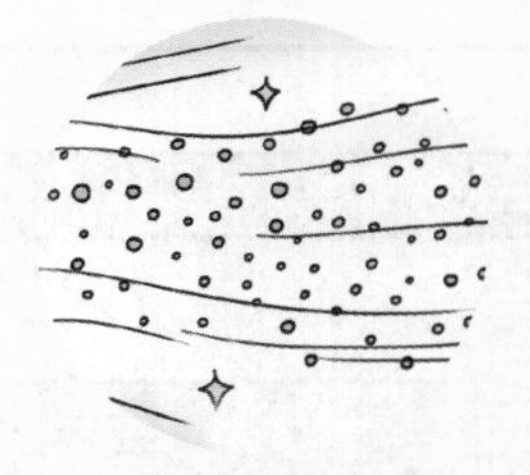

❺ 狭义相对论的基本原理是光速会随观察者所在惯性参考系的相对运动改变。 ○ ✖

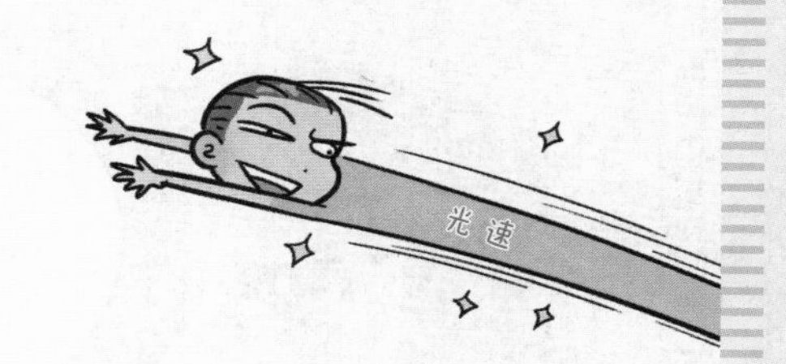

❻ 当我在以5万千米/秒的速度飞驰的列车中时，另一列向相同方向以20万千米/秒的速度飞驰的列车，在我看来速度是15万千米/秒。 ○ ✖

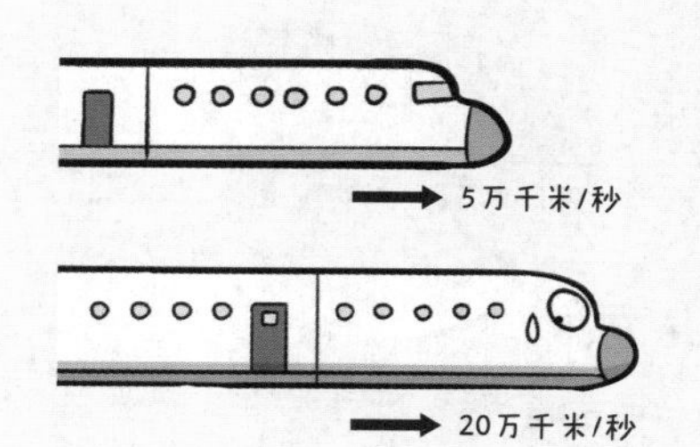

❼ 当我在以5万千米/秒的速度飞驰的列车中时，向相同方向以30万千米/秒的速度运动的光在我看来速度是25万千米/秒。 ○ ✖

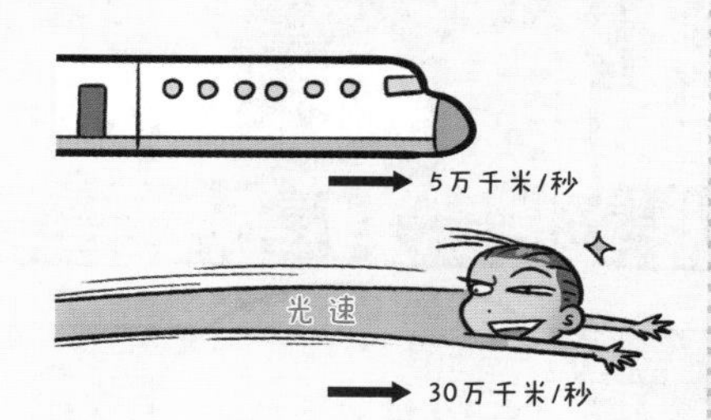

❽ 根据狭义相对论，在我看来同时发生的两件事，在别人看来也一定是同时发生的。 ○ ✖

答案见第192页。

第五话 山岗之上的双彩虹

当然是因为影子喽！
是的，那么，要想有影子……

必须有光！
答对了！
啊！

我变成了一只鸟
答错也没关系……
呵呵

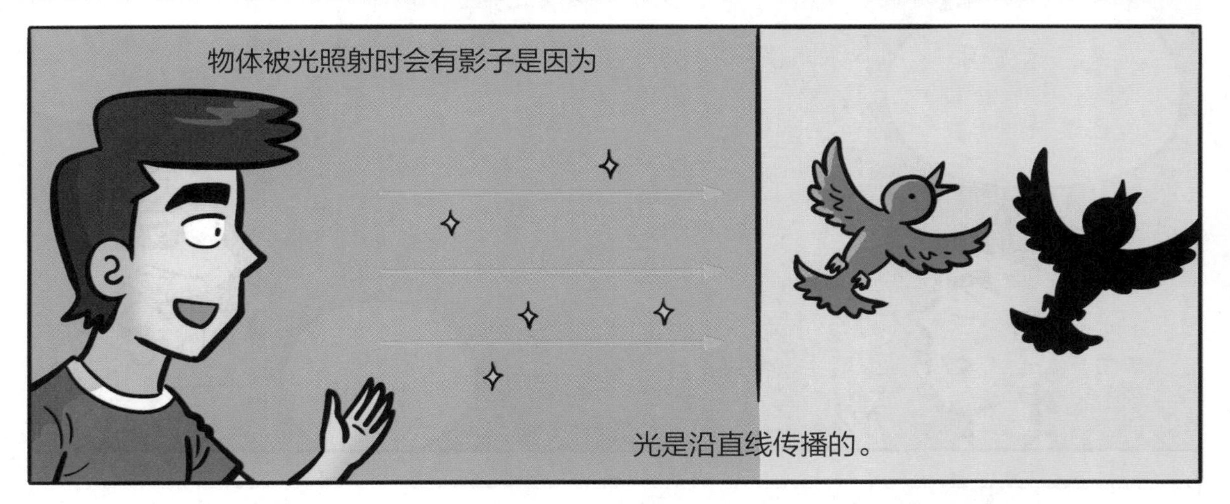
物体被光照射时会有影子是因为
光是沿直线传播的。

如果光不是沿直线而是沿曲线传播，会怎样呢？
！

那么物体的后方也会有光，就不会有影子了！
把我的影子还给我！
哗

鸟！
小多！
我们能看见物体也是因为物体反射的光进入了我们的眼睛。

呀，月球！

是，这是月球。月球会自己发光吗？
不会，它发光是因为反射了太阳光。
是的，没错！

看到了吗？
反射。

反射！反射！反射！
反射反射反射！
别闹了……

如果物体把它接收的光全部吸收了，不进行反射，会怎么样呢？
你是海绵宝宝吗？

要是人的话……那就是透明人？
唰
唰

咦！
不，物体看起来会是黑色的。
小多同学说得对。

刺 刺
拜托！别闹了！

你俩是不是关系很好呀？
对，对，嘿嘿！
才不是呢！

总之……沿直线传播的光有时候会弯折。
咚
嚯

以海市蜃楼为例来说吧。
沙漠里的海市蜃楼！

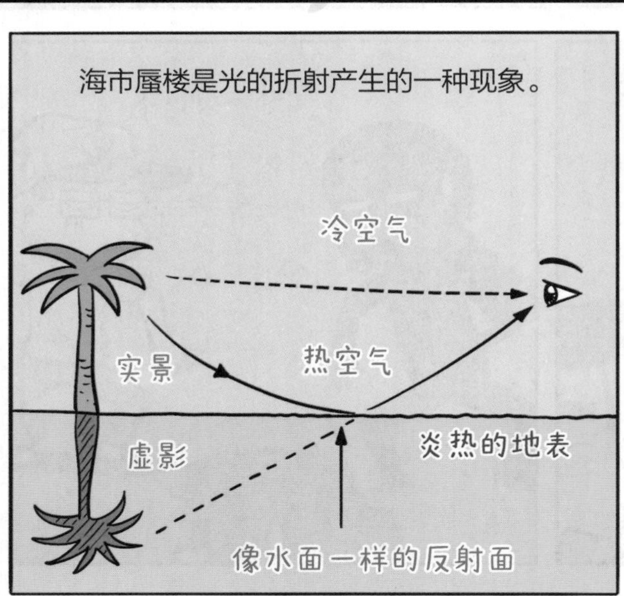
海市蜃楼是光的折射产生的一种现象。
冷空气
实景
热空气
虚影
炎热的地表
像水面一样的反射面

透过不均匀的热空气看物体时物体好像扭曲了也是这个原理。
哎哟！
步履蹒跚

哇，是绿洲！

水！
水！
水！
噔
噔
噔
噔

呼
呼
咦，奇怪。绿洲怎么不见了？

哈哈，原来在那边！

又不见了！
呼哧
呼哧
呼哧
唰

喂，绿洲！你在耍我吗？！

这是由于光的折射产生的错觉！
只是想象了一下就觉得好渴。
咕嘟
咕嘟

像这样，光在射入某种物质时发生偏折的现象……
叫作光的折射。
物质

海市蜃楼就是因为光的折射产生的。
外星人！
我是人……

来，
看看这个。

哇，
看起来真
的弯了！

光的折射指光从一
种介质斜射入另一
种介质时，在交界
处传播方向发生改
变的现象。

我来问一个问题！

这都是什么
姿势？
这是在用动作表
达我们要答出问
题的决心！

我们班的同学
有点儿奇怪
……

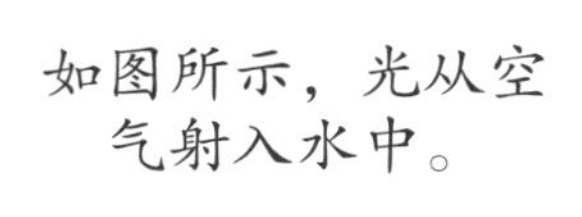

如图所示，光从空气射入水中。
那么光的传播路线应该是①②③中的哪一个呢？

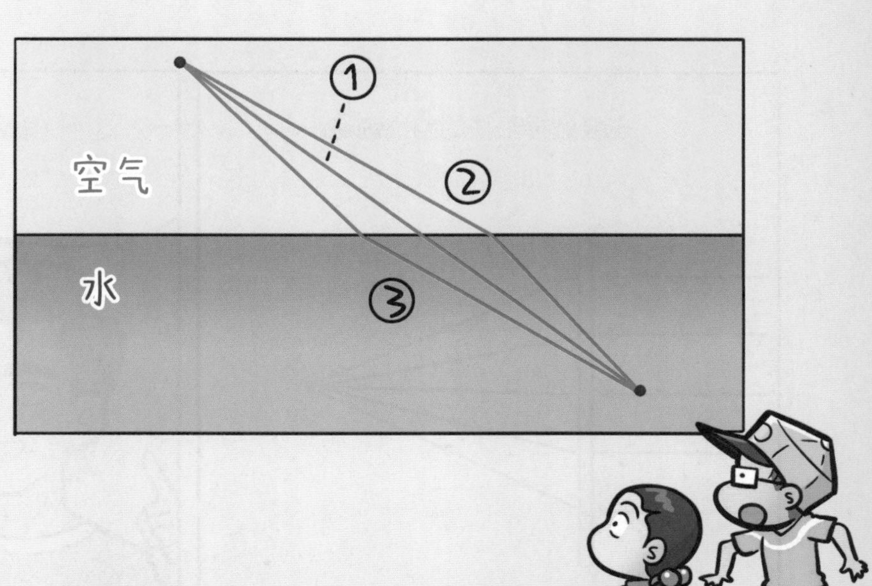
①
②
③
空气
水

当当
正确答案是②！
当当
理由呢？

光进入水中后传播速度会变慢。

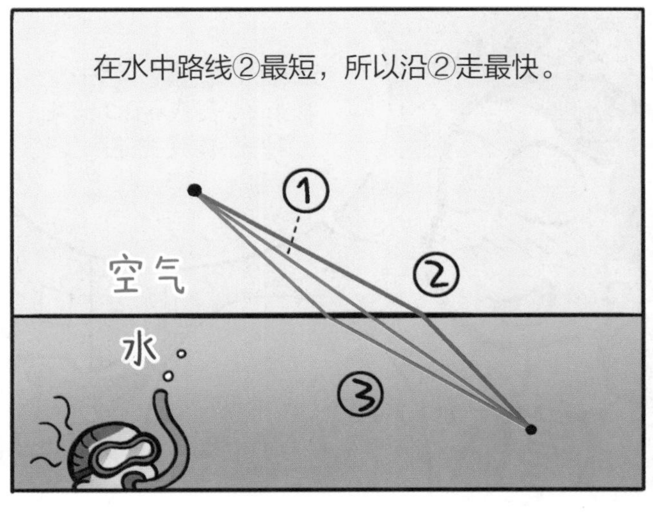
在水中路线②最短，所以沿②走最快。
①
②
③
空气
水

对吧？哈哈！
对，答对了。
我们班的同学确实奇怪……

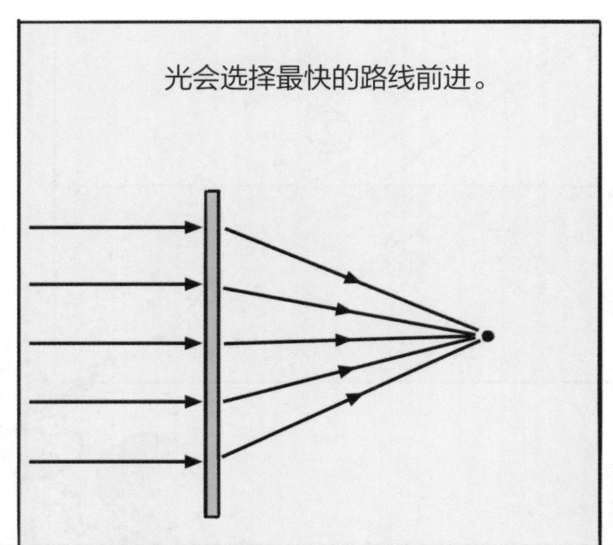
光会选择最快的路线前进。

这叫作最短时间原理。
光直射或折射都是光选择最短路线的结果。

好，接下来……
嘀！
哇，是彩虹！

这是我们眼睛能看见的可见光。

红橙黄绿蓝靛紫……彩虹代表我的心，七种光彩放光芒。
贪心、暴躁、吹牛、胆怯、软弱、狡猾、傲慢……正好七种。

才不是呢！是喜悦、乐观、希望、自由、爱、关心、和谐！
总之和你完全不搭啦。说什么彩虹代表你的心……

咻
呜

不搭，不搭……
唰
啊啊
咻
呜
和这穿越最不搭的就是我！

1871年 英国

这又是哪儿啊……

雨后放晴的天空真是澄净美丽啊。

但天空为什么是蓝色的，而不是红色或黄色的呢？

咦？

哇，出彩虹了！
啊！吓我一跳！

你，什么时候来的？也不出声……
叔叔，您是谁？

我叫约翰·威廉·斯特拉特，正在剑桥大学学习科学。
你住附近吗？第一次见……
是的，我刚搬过来不久。

我刚才在思考天为什么是蓝的。
要是白天天也是黑的，那多奇怪啊。

对了！剑桥大学的话，那就是艾萨克·牛顿的母校……
不是，我是想知道真正的原因！
叮

没错，牛顿是我的前辈！

你……知道为什么会出现彩虹吗？

嗯，彩虹是被分成多种颜色的可见光。
我们对光可是了如指掌。嘿嘿！
你和我有共同语言！

我的前辈牛顿爵士发现可见光包含各种颜色的光。
七色光
七色光

光通过三棱镜后，因为每种色光折射的角度不同，所以形成了彩虹光带。
折射的角度不同！

刚下完雨，空气中悬浮着大量的水滴。
它们非常细小，所以我们肉眼看不见。

这些水滴就相当于三棱镜。

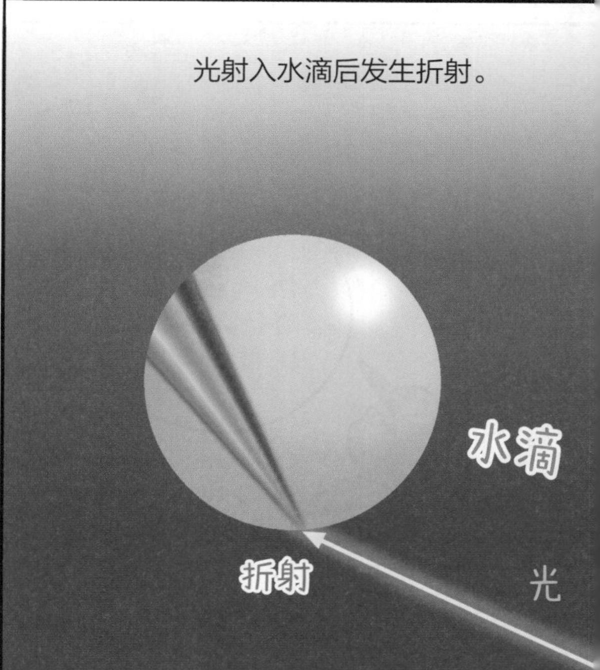
光射入水滴后发生折射。
水滴
折射
光

折射后的光在水滴内发生反射。

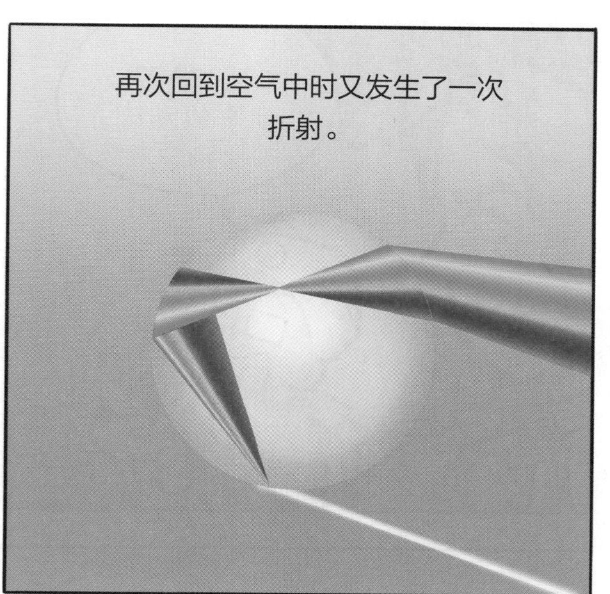
再次回到空气中时又发生了一次折射。

哗
出现双彩虹了。
哇，双彩虹！

双彩虹是怎么出现的呢？
原来自然界中也有双胞胎呀。

就像我刚才说的，一般水滴里的光反射一次后会折射回空气中……

不过，偶尔也会有反射两次的情况。
光
折射
反射
反射
折射

经过两次反射的微弱光线形成了另一道彩虹。

噢，可为什么两道彩虹颜色的排列顺序是相反的呢？

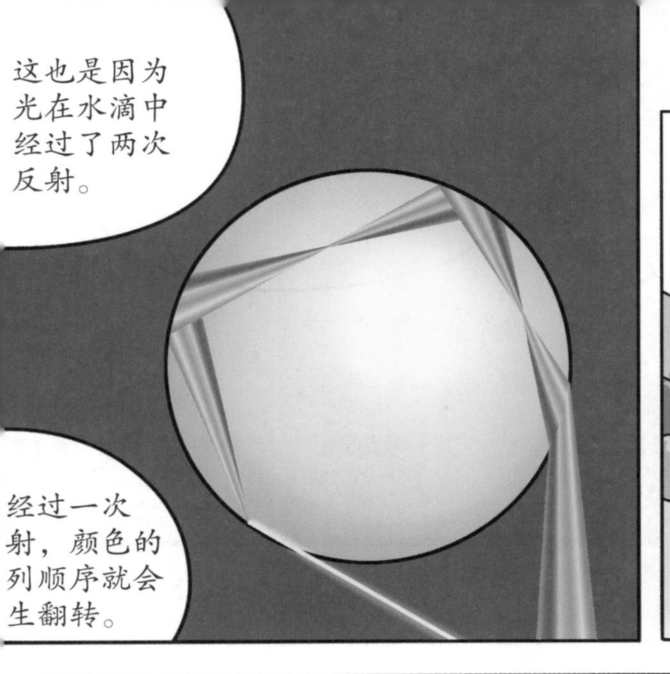

* 注：产卵和散射的韩文发音相同。

光的散射？

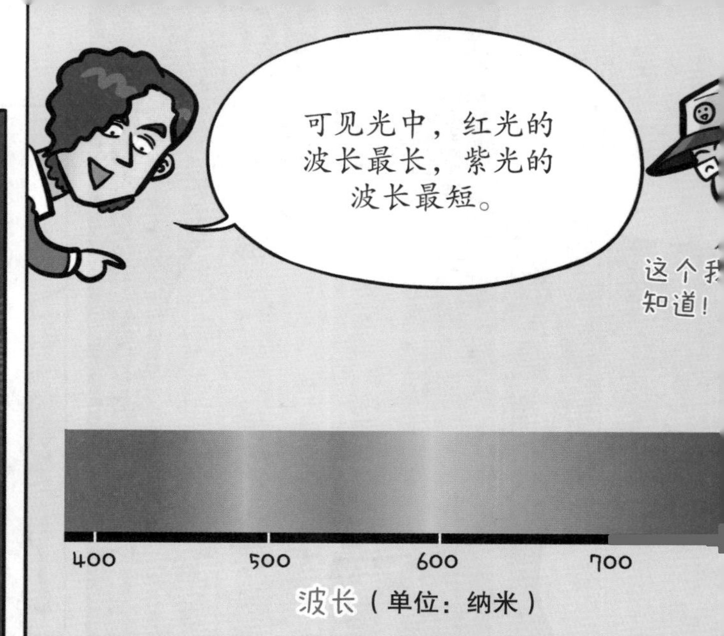
可见光中，红光的波长最长，紫光的波长最短。
这个
知道！
400
500
600
700
波长（单位：纳米）

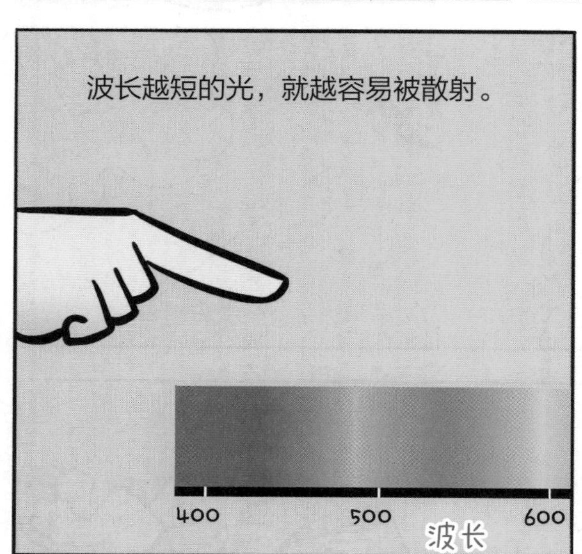
波长越短的光，就越容易被散射。
400
500
600
波长

也就是说，波长短的蓝光和紫光更容易被散射……
400
500
600
波长

所以我们看到的天空就是蓝色的。
是的。

波长最长的红光不容易被散射，所以能直接到达地面。

但波长短的蓝光
被散射了，
布满
天空。

紫光也容易被
散射，但我们
的眼睛对蓝光
更敏感。
我喜欢蓝色。

那么黎明破晓时、夕
阳西下时，天空变成
红色是因为……

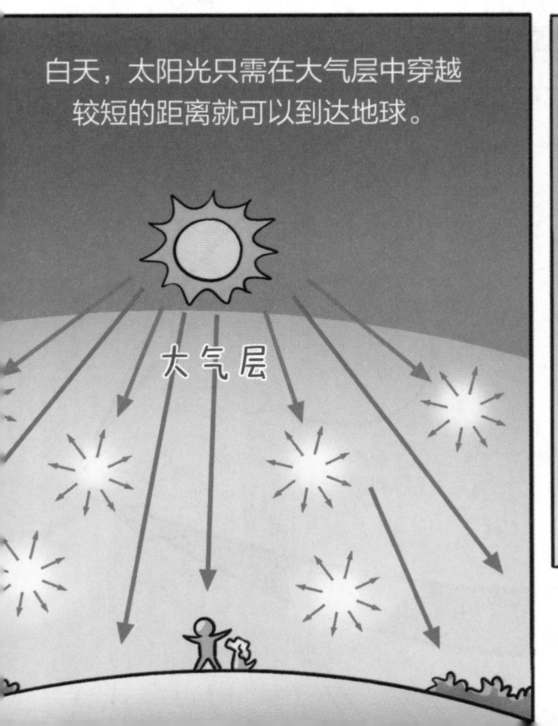
白天，太阳光只需在大气层中穿越
较短的距离就可以到达地球。
大气层

因此，我们能看到更多的蓝色散射光。
蓝光胜！

但是到了傍晚，阳光需要在大气层中穿越更长的距离才能到达地面。
哇，夕阳太美了！
只有穿透性强的红光
能被我们看到。

滴
答
滴
答

这滴水也会让光发生折射和散射。
滴答
!

咻呜

散射……
水滴，折射……
咻啊啊

唰

谁知道，天空中为什么会出现彩虹？

唰
好，小多同学，你来回答。

因为空气中的小水滴让光发生了折射。
！

经过一次折射……两次折射……双彩虹……
天空看起来是蓝色的是因为光的散射……晚霞是红色的是因为光在大气层中穿越的距离长……
小多又突然变聪明了！

第六话 跨越100年的缘分

小多同学真棒！
无论如何，我得先把他说的都记下来。我要背下来！
哇
崇拜

这天晚上
光……
折射……
反射……
嘟嘟囔囔
念念叨叨

几天后
好！我们来整理一下之前学过的内容。光的性质是……

憔悴
噌
啊！
好，好吧。
老师，我来说！

光的特点是沿直线传播！
看我直拳！
啪

还有反射！
啪

折射……
咯吱

和散射。
晕！

好，好的。
敏书同学，
你继续说。
不过……
你看起来
很累。

因为光沿直线传播，
所以我们能看到物体
的样子。物体看起来
是某种颜色是因为它
反射那种颜色的光。

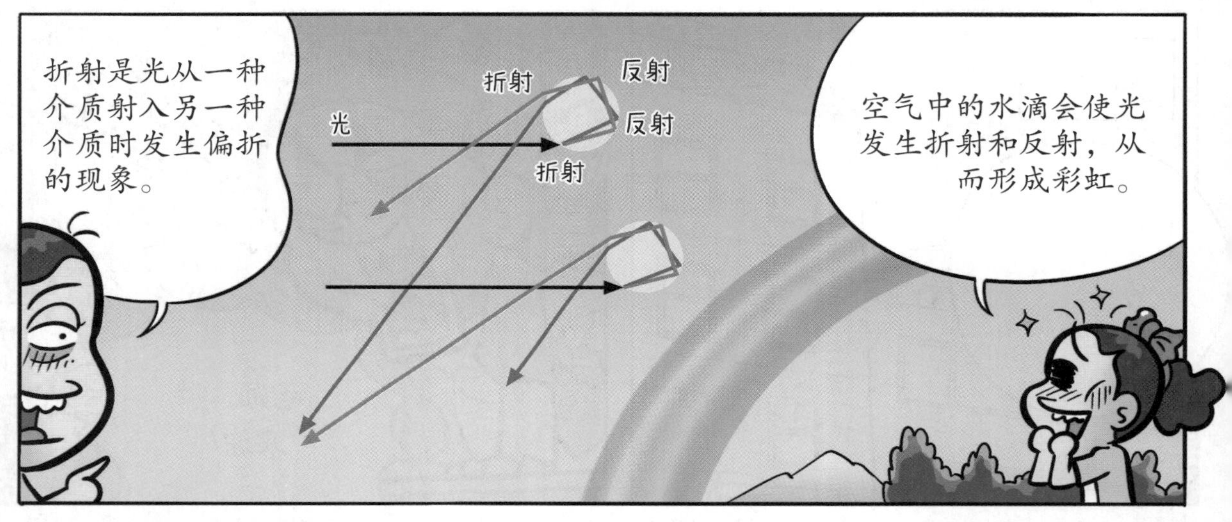
折射是光从一种
介质射入另一种
介质时发生偏折
的现象。
光
折射
反射
反射
折射
空气中的水滴会使光
发生折射和反射，从
而形成彩虹。

还有，天是
蓝色的……
哈哈哈！
嘎！

晚霞是红色的，这些都是因为光的散射。

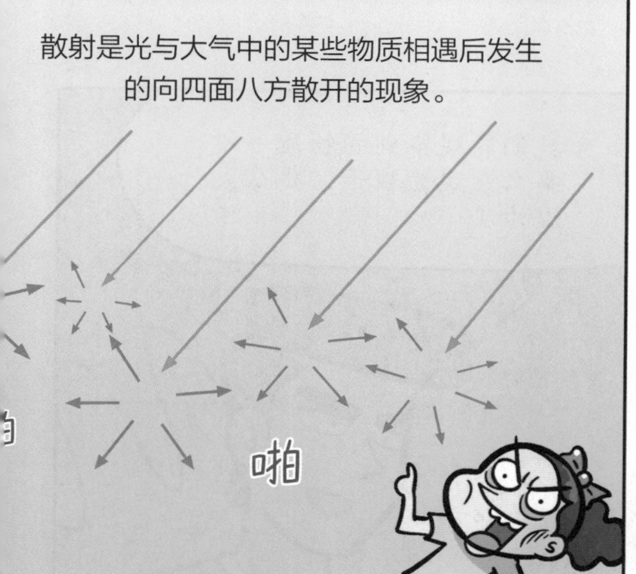
散射是光与大气中的某些物质相遇后发生的向四面八方散开的现象。
啪

这么认真地整理上节课的内容，辛苦你了。
闭嘴！

你好像有点儿激动。敏书同学，冷静点儿……
没有！我没事！

不过，你整理得很好。
哇哈哈哈哈，没有啦！

过，除此
外，光还
一个重要
特性。

您是说光的波粒二象性吗？
光……的二什么？
怎么这么多特性？！

噢，果然厉害！
二象？
两个？
性质？

我们能观察到的物质一般要么表现为粒子，要么表现为波……

光却拥有粒子和波这两者的特性。
这怎么可能？

咻
呜

你来了。
汪汪！你好！

啊！那是什么？
汪汪汪汪汪
有人在穿越

1923年　美国华盛顿大学

这又是哪儿？
阿瑟·霍利·康普顿
嗯哼！
好像是研究室……

阿瑟……康普顿？
阿瑟·霍利·康普顿

转
是谁打扰我！我刚有了重大发现！

还没有取名……好，就用我的名字命名，就叫康普顿散射！

康普顿散射？散射不是斯特拉特发现的吗？
天哪，你这个小屁孩，连这都知道！

好！看你还能听懂，我给你解释一下。
呃！
摁住

很久以来，人们都在争论光是粒子还是波。
光是粒子！
光是波！

我无比尊敬的艾萨克·牛顿爵士曾经说过——
光是粒子！
17世纪后期

牛顿用三棱镜把太阳光分成了七种颜色的光。
耶！

哈哈哈，异口同声！
幼稚……

例如，某个物体看起来是红色的，是因为红光的粒子进入了人的眼睛。

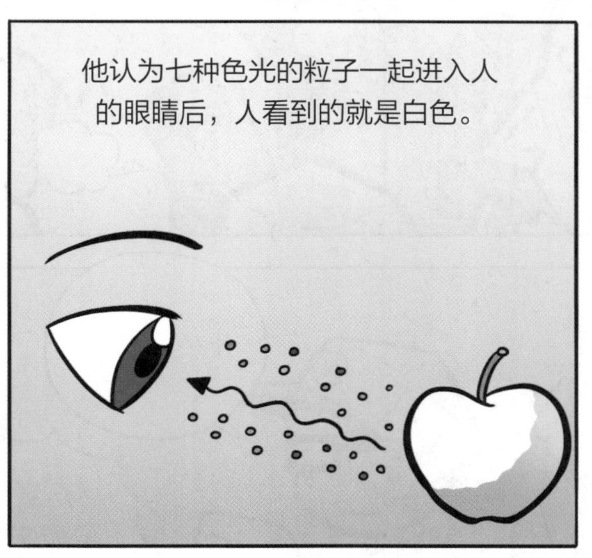

哎呀，这是怎么回事？
你是谁？

我叫托马斯·杨。我也不知道怎么会来到这里。

震惊
托马斯·杨？用双缝干涉实验证明光具有波动性的托马斯·杨？

什……什么？
这是梦，还是现实？一定是梦吧！
我竟然在这里见到了去世将近100年的伟人！

这位叫托马斯·杨的科学家看来也穿越了……

刚才我们看见的人原来就是他！
嘿！
唰啊
！

我正在苦恼光的波动性，就做了这样的梦……
迷糊
唰！
我正好在和这个小朋友讨论光的粒子性！
！
康普顿叔叔，您好像有点儿激动。

我知道在我之前的100多年前，牛顿爵士认为光是粒子。

但您的想法不同。您认为光是波……

没错。假设光是粒子……
我们把光照进狭窄的细缝，那么通过狭缝的光粒子会在对面排成一列。

您的意思是光不会这样吗？
没错。

你觉得通过狭缝的光会怎么样？

哎嘿！

唰
瘦身！
嘿嘿！
哈哈，虽然不对，但想法很有趣。

如果我们往平静的湖面上丢两块石头，会怎么样？

扑通
扑通

我喜欢丢石头。
我也喜欢丢石头。

等等！我怎么唱起歌来了……怎么回事？
湖面出现波纹，一圈又一圈。

哇，波纹重叠了！

是的，两列波相遇时会出现干涉现象。

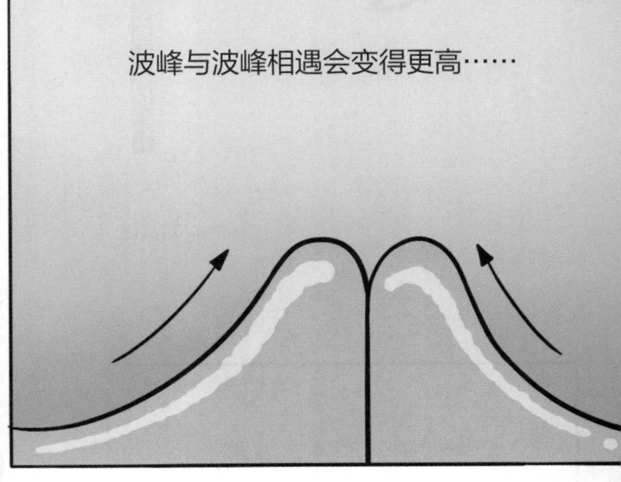
波峰与波峰相遇会变得更高……

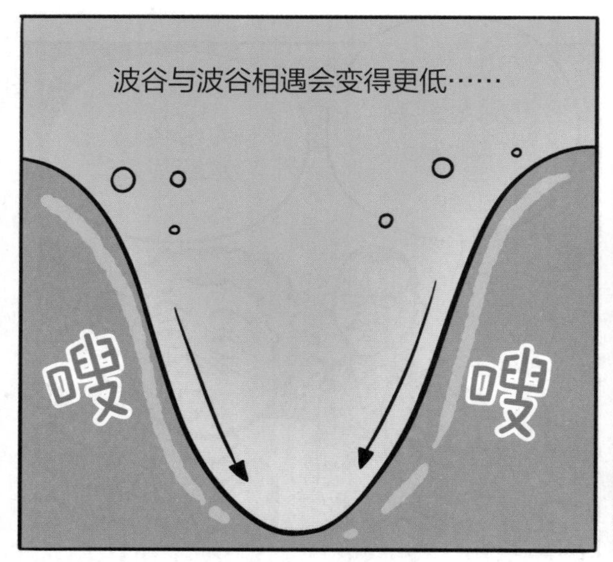

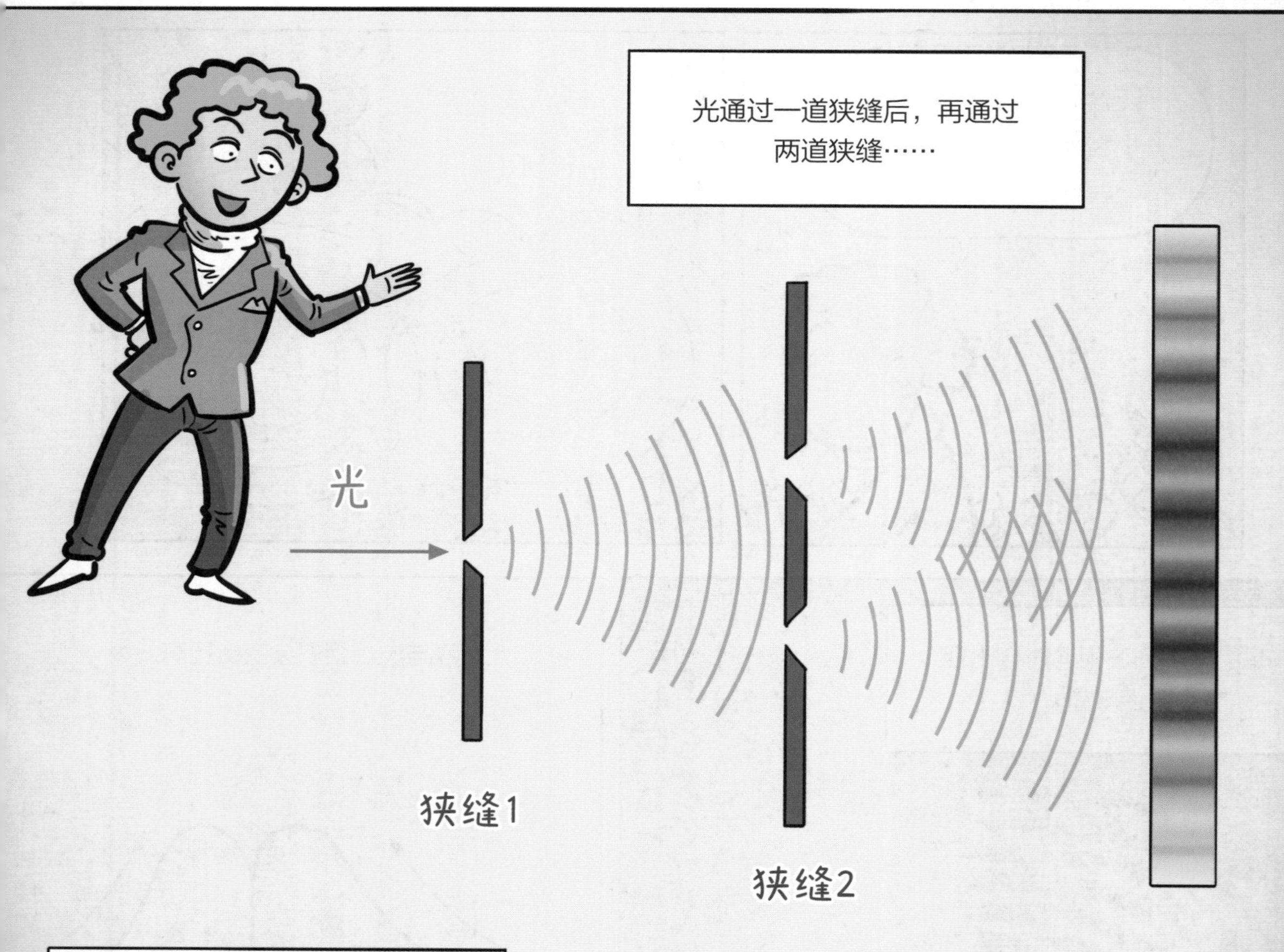

会出现干涉现象，屏幕上出现明暗交替的图像。

我不知道爱因斯
坦是谁，光电效
应也得做了实验
才能知道……

咔
还有一个证据能证明光是粒子！

唰
不久前，我做了一个实验……

用X射线照射石墨后，被散射而改变方向的X射线的波长……
X射线光源
屏幕
石墨
被散射的X射线
φ
没有被散射的X射线
比入射的X射线的波长长！
!

这就好比两个球发生碰撞。
砰
咚

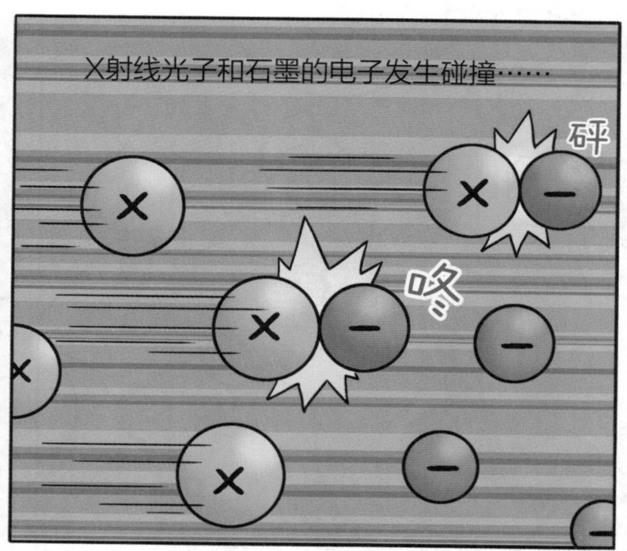
X射线光子和石墨的电子发生碰撞……
砰
咚

光子的一部分能量转移给了电子，波长变长。
哎哟！
石墨
歪斜
东倒西歪

呀吼！
自由了！
同时，电子获得能量并射了出来。

当
如果光不是粒子，不可能出现这种现象！
嘶啪
那双缝干涉实验的结果又怎么解释呢？

这个嘛……

二象性……
哐
!

!

光既是粒子，又是波，光具有二象性，这不就行了吗？
别说了！
为什么只能是其中一种呢？

粒子和波……
同时具有两
特性……

这个想法真是太伟大了！
你这个小孩怎么想出来的！
不是，也不全是我的想法啦……
感谢你提供了这个伟大的想法，这是刚才做实验用的石墨，送给你。

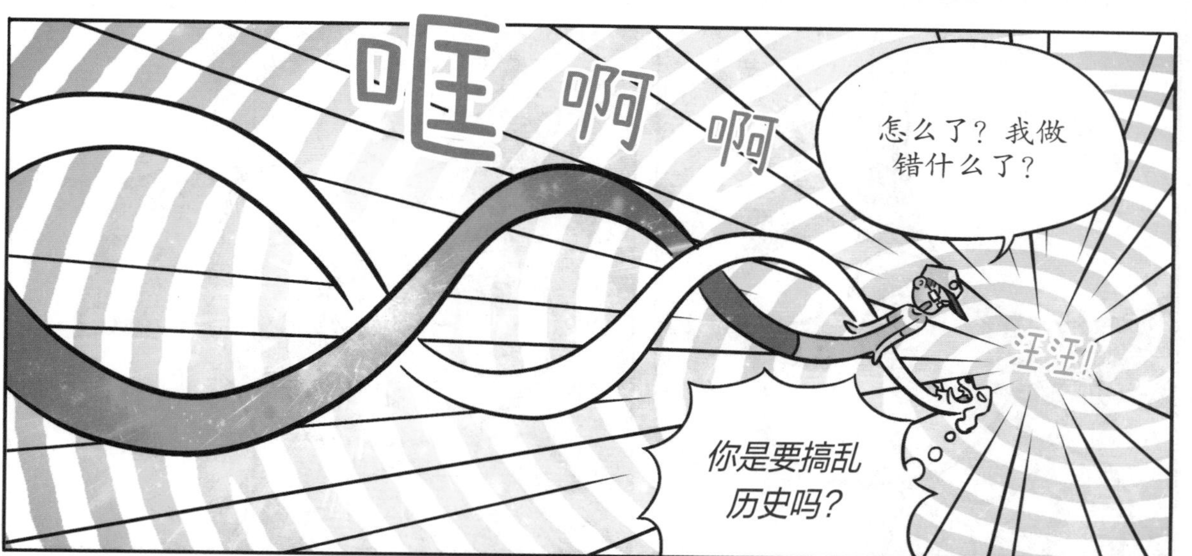
哐
啊
啊
怎么了？我做错什么了？
汪汪！
你是要搞乱历史吗？

唰

简单地说，光既能像水波一样扩散……

又能像球一
样运动！
啪啪啪
哇！

咦！

小多有时候
看起来有点
儿奇怪……

好像……
呼
很累……

嘿！
还有点
儿发蒙……

每当这时，他
都会突然变得
很聪明。
光电效应！
折
粒子！
波！
反射！

和以前完全
不一样！

康普顿……
托马斯·杨……
又开始了！

老师，还有！
小多一定有
什么秘密！

第七话
表里不一
去年不也
过嘛。什
好久没来
啊，好久没来玩
了！沃得趴课！
是Water Park!

我发音多
地道！
好，
好。
妈妈，我们快去
玩游泳圈吧。
好啊。
游泳圈？
那多无聊！要玩
就玩那样的。
?

哇啊啊啊
啊呀！
哐昂昂

哈哈
来水上乐园要是不玩这个，那就白来了。

啦啦
居然不听我说话！

老爸，别理那俩胆小鬼，咱俩去吧。

怎么了，老爸。你该不会怕了吧？
我才不怕！
我没发抖。

我的外号可是“过山车”“跳楼机”！
抖
抖抖

哐
哐
哇啊！

还没出发呢……
哎呀！

我在热身，懂吗？在正式开始之前活动一下……
……

这样等会儿身体才能活动开……
推
出发！

唰啊
呀啊啊啊啊！

哐
昂
哇啊啊啊！
哐
呃啊！
唰

妈呀！
呜呜！
唰啊
是哦……
那个叔叔是不是找不到妈妈了？

咦，好熟悉的声音……
呃……

……
就是他。
嘿！
哈哈！

老爸，我真是受不了你！
对不起……

呃！我有点儿想吐……
嚯！

哎哟！
唦——
卫生间
男

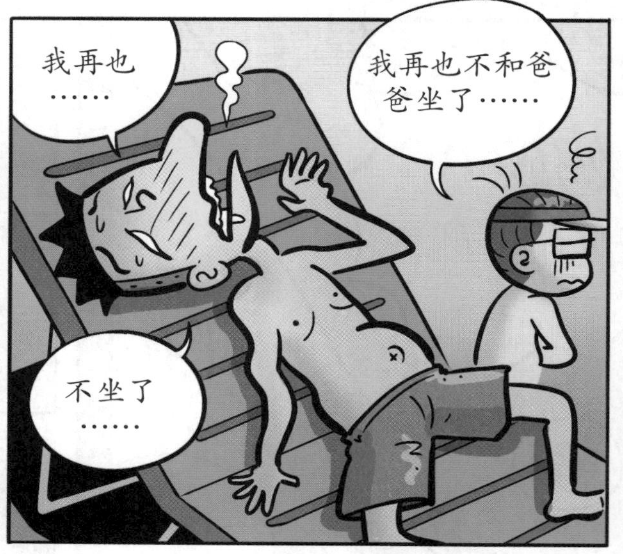
我再也……
我再也不和爸爸坐了……
不坐了……

从圆筒中滑下来的时候，我感觉像是被吸进了原子核。

这感想，不愧是学物理的。
好讨厌失重头晕的感觉……我爱你，重力……

仿佛被夹在质子和中子之间……

莉莉，你长得
真可爱。
嘤嘤！

咻呜呜

唰
啊
啊啊，
我就穿了
泳裤！
汪汪汪！
我正约会呢！
汪！
太过分了！

1932年　英国剑桥大学
卡文迪许实验室
哎哟

这里……又
是哪儿？
汪汪汪！
反正不是宠
物酒店！

咦？感觉有点儿熟悉啊……
熟悉的味道……
闻闻

是我买的氮气送来了吗？放在那边吧。

?

你，你是谁？怎么光着身子？
咚
我刚从泳池出来……

这里……难道是卢瑟福博士的实验室？
!

你……认识卢瑟福博士？

他是我的老师……我叫查德威克。
卢瑟福博士是你的老师？
我记得卢瑟福博士的实验室很黑啊……
叫什么来着？啊，想起来了！他当时正在做α粒子散射实验。

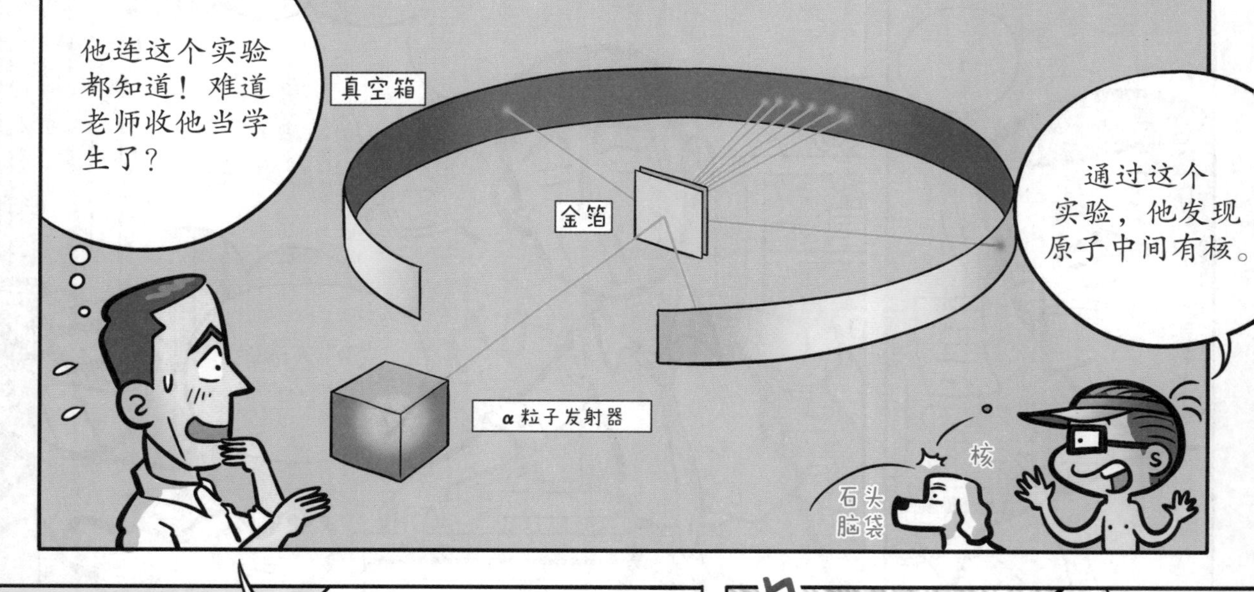
他连这个实验都知道！难道老师收他当学生了？
真空箱
金箔
α粒子发射器
通过这个实验，他发现原子中间有核。
核
石头脑袋

没错！为了揭开原子核的秘密，后来老师和我继续做了类似的实验。
咚
有结果了吗？
咳咳咳

好像有结果了，
又好像没有。
怎么突然跳起
奇怪的舞！
什么叫
好像？

光既是粒子又是波……
有结果又没有结果……
是这个意思吗？
头好疼！
科学真是太
深奥了！

现代的科学家们好像
慢慢开始说些模棱两
可的话……
云里
雾里
刺
刺

小朋友，你
知道汤姆孙
爵士吗？
当然，他发现
了电子。

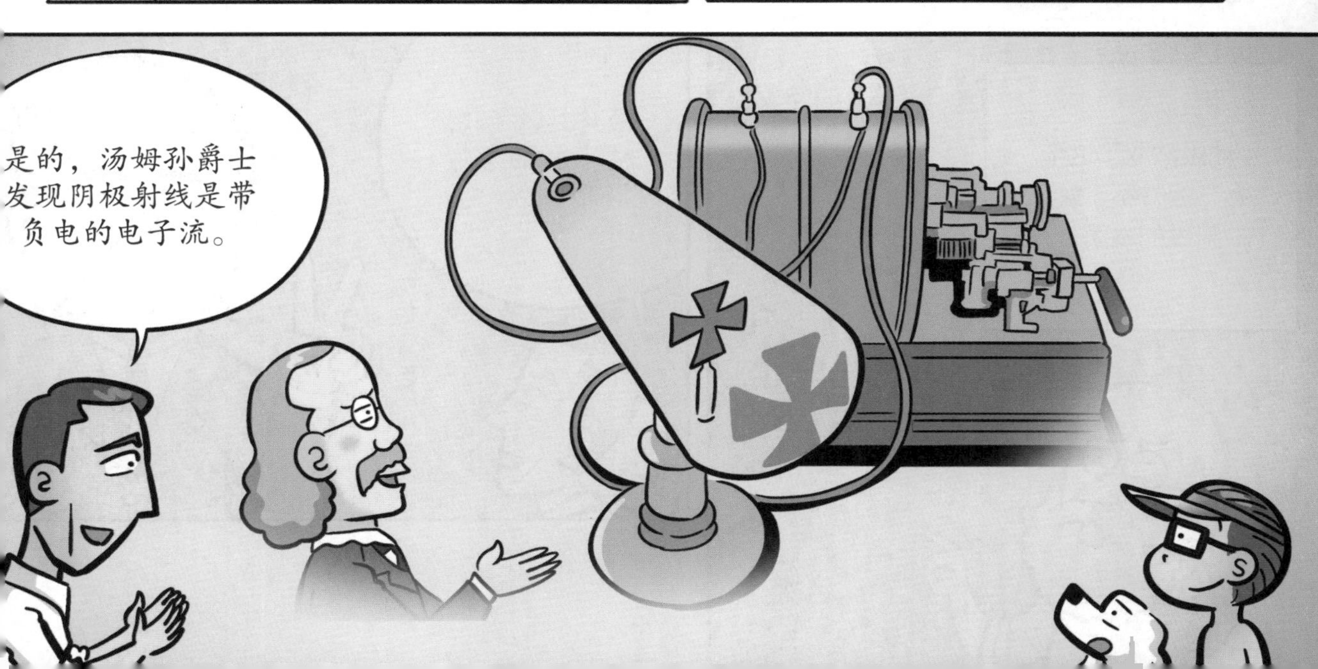
是的，汤姆孙爵士
发现阴极射线是带
负电的电子流。

1886年，德国的戈尔德施泰因也……

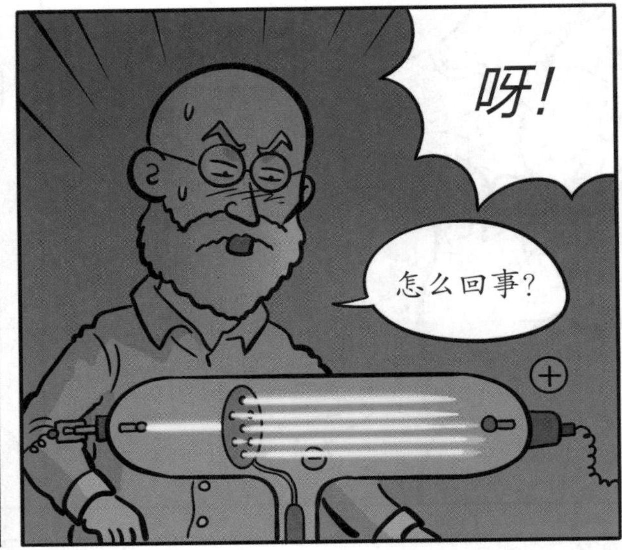
呀！
怎么回事？

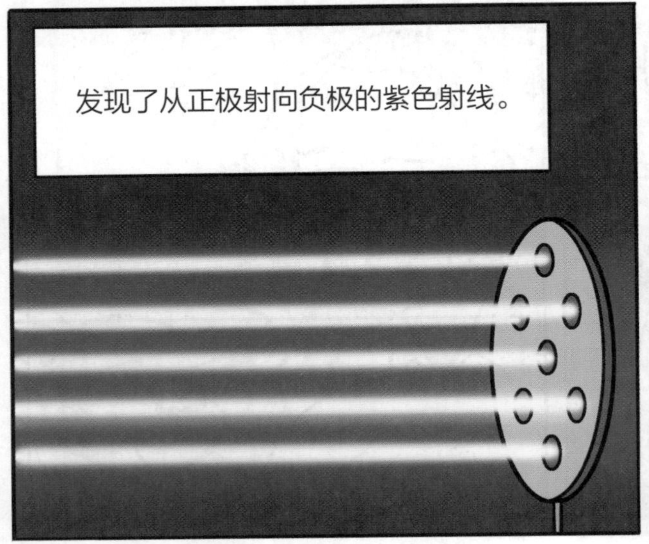
发现了从正极射向负极的紫色射线。

好吧，我也不知道这是什么，就给它取名正射线吧！

他虽然取了这个名，但并不了解正射线的本质。
嘿哈！
正射线
你到底是什么？

最终这个秘密被卢瑟福老师揭开了！

正射线就是
质子流！
哐

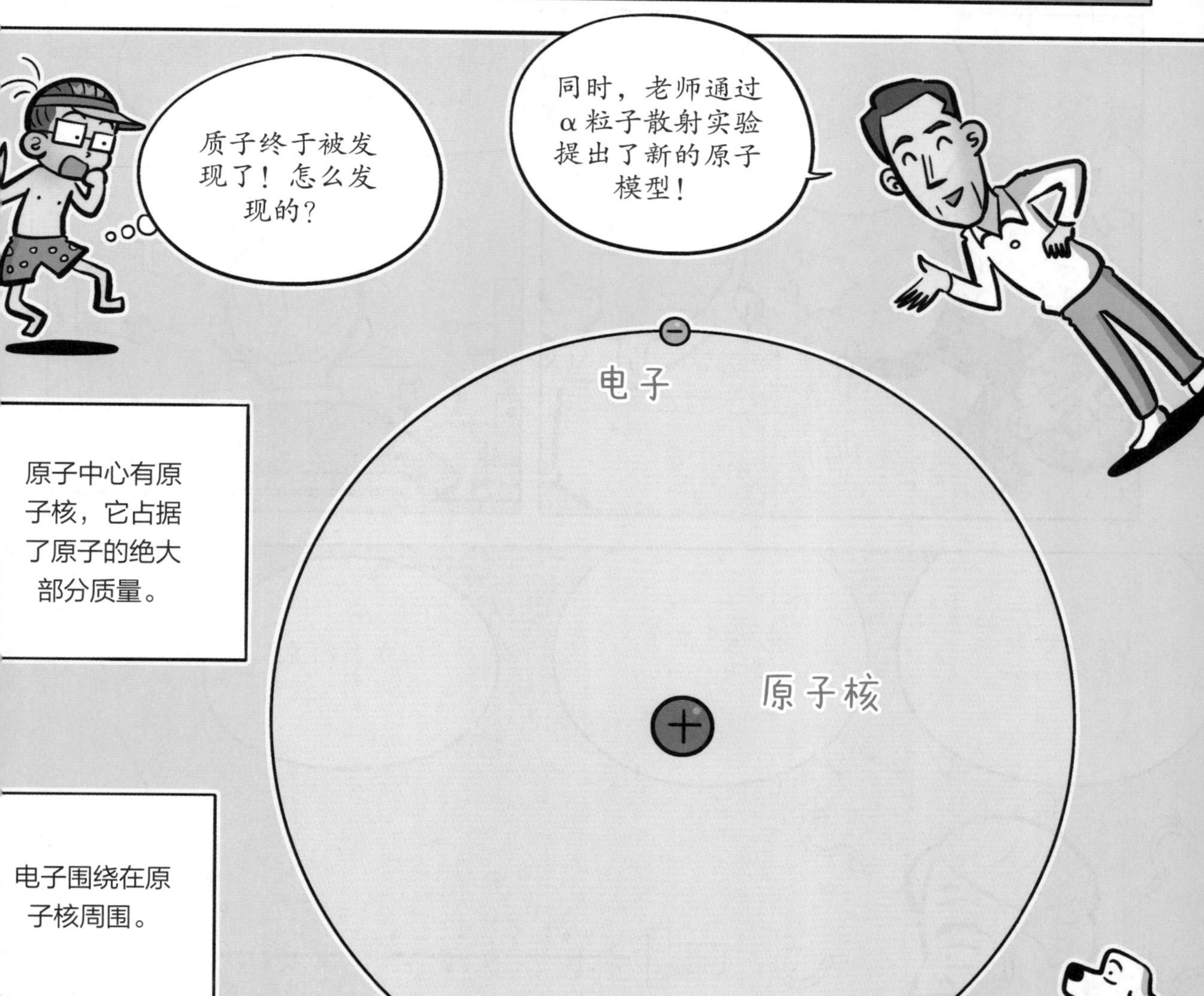
质子终于被发现了！怎么发现的？
同时，老师通过α粒子散射实验提出了新的原子模型！
电子
原子核
原子中心有原子核，它占据了原子的绝大部分质量。
电子围绕在原子核周围。

发现了原子核和电子……

然后提出原子模型……
完成！
哇，你可真帅！
你真幽默……

但还有一个问题！
啊！

嗯，奇怪……奇怪……怎么回事……
卢瑟福

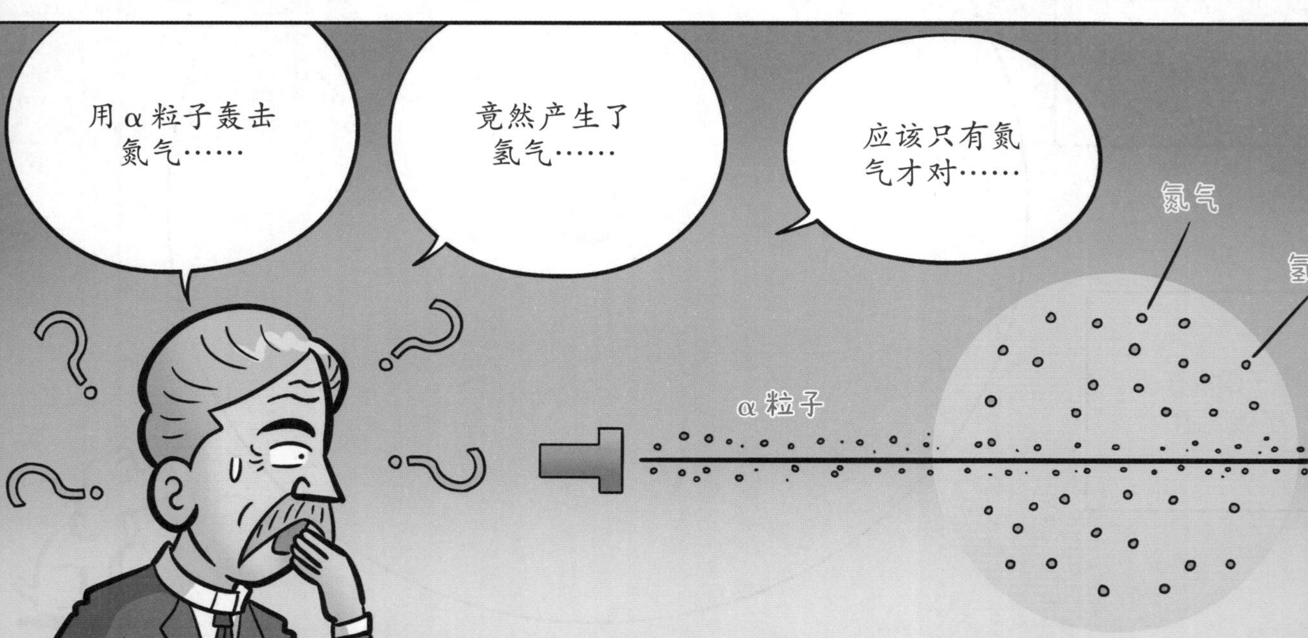

用α粒子轰击氮气……
竟然产生了氢气……
应该只有氮气才对……
氮气
α粒子

我现在正在做这个实验。
!

难道α粒子中有氢气？
不是啦……

?
?
?
那么是不是氮气中混有氢气呢？
不是啦，是纯氮气！

唰啊
要不就是气体穿越了！
不是，不是！

这个实验从头到尾都很严谨精确！
科学家就是要不断质疑！知道吗？

啊，我太激动了……想得太投入了……

1914年，卢瑟福博士发现氢原子核是所有原子核里最小的。
哎呀，真可爱。
你就是氢原子核？
它……就是氢原子核！

但氮气中生成氢气的原因是……

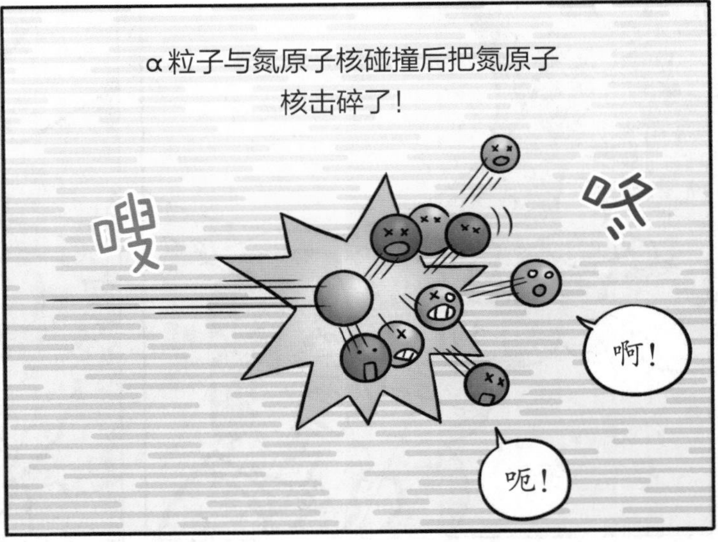
α粒子与氮原子核碰撞后把氮原子核击碎了！
嗖
咚
啊！
呃！

击碎后产生的粒子就是氢原子核！

氮原子核里面包含氢原子核！
咦，你是氢原子核？

嗯……那么是不是所有的原子核都包含着最小的单元——氢原子核呢？那就给他取名proton（质子）吧，意思是“最基本的”！
啪 啪

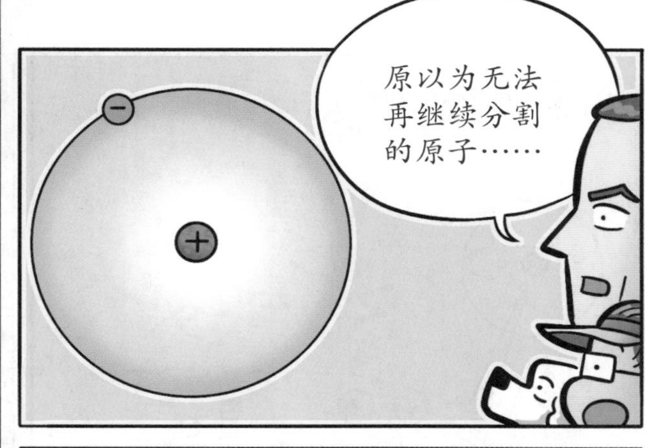
原以为无法再继续分割的原子……

又被分成了更小的部分。
没想到吧？

要是可以的话，真想把自己缩小，亲眼去看看未知的微观世界！
穿着泳裤吗？
咻
哎哟，好郁闷！
人类探索、发现的速度真是太缓慢了……
比起过去已经很快了

原子是不带电的。
我是中性的！
因为电子带负电荷，原子核中的质子带正电荷。
正电荷和负电荷相遇呈中性！

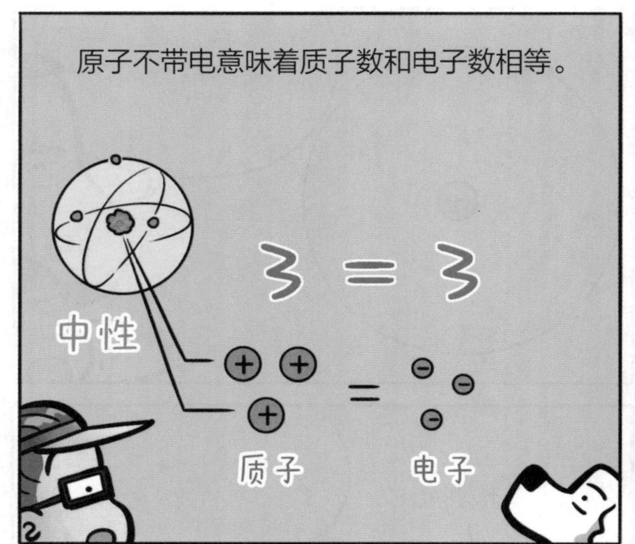
原子不带电意味着质子数和电子数相等。
3 = 3
中性
质子
电子

可我算来算去……
奇怪……
呼
哧

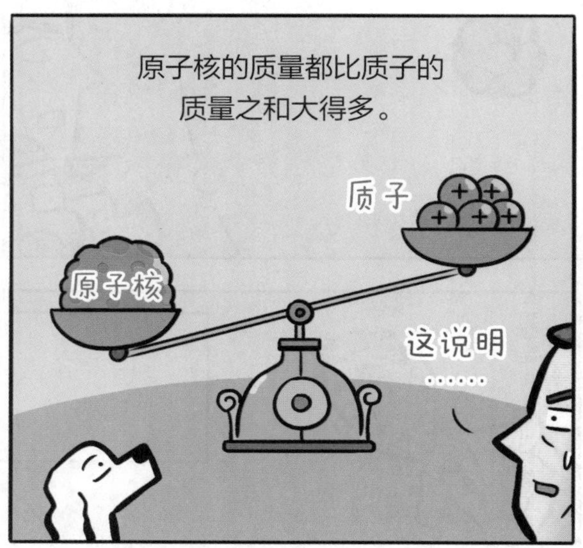
原子核的质量都比质子的质量之和大得多。
质子
原子核
这说明……

原子核中还有别的东西？
除了电子和质子外，还有第三种粒子？
啪

心有灵犀

一点通

说对了！
你们俩在干什么？

嗖
嗖
我终于完成了实验，得出了结论！
当当！
可怕……

它就是中子！
当！
自己还配上音效了……

中子和质子的质量几乎相等……
质子
中子
原子核
不带正电，也不带负电，是中性的！
那么，中子是中性人吗？
嘿
嘿
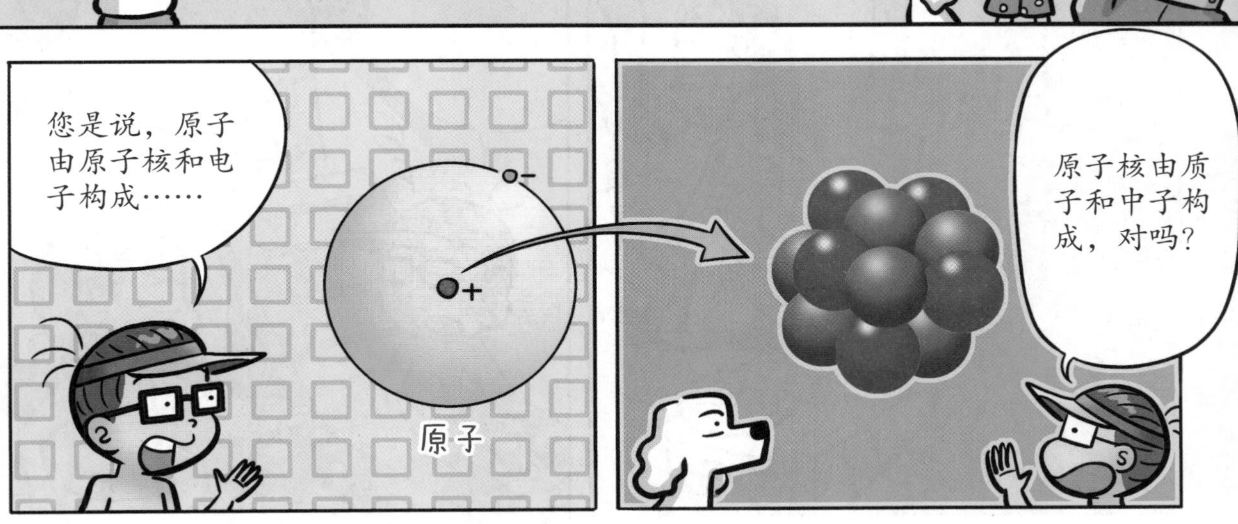
您是说，原子由原子核和电子构成……
原子
原子核由质子和中子构成，对吗？

没错！我们把原子的秘密又揭开了一层！

这是一瓶氮气。送给你。今天和你聊得很开心。

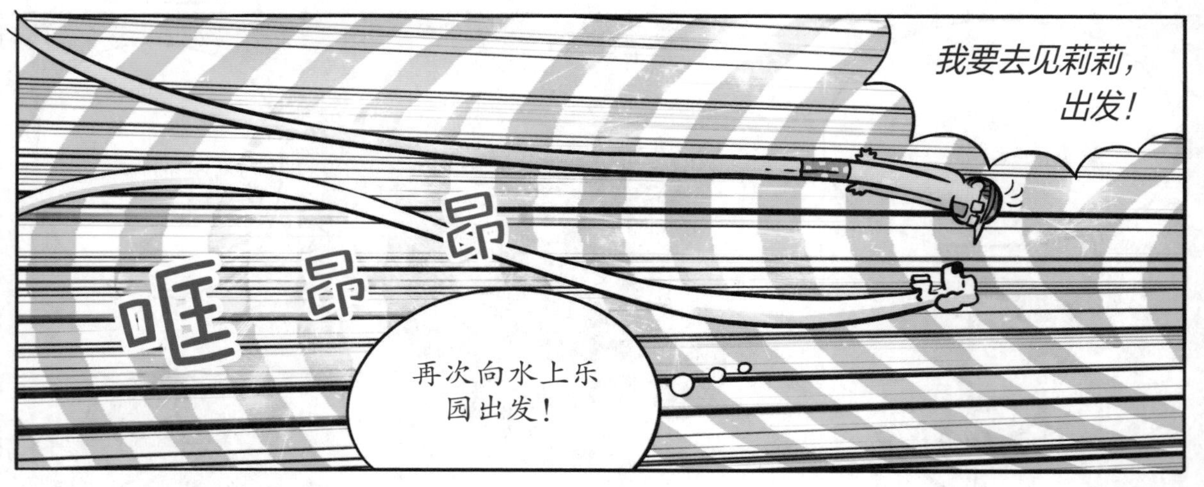
我要去见莉莉，出发！
哐
昂
昂
再次向水上乐园出发！

唰

咦，金敏书？
啊，郑小多！

你能不能别老跟着我！
是你跟着我！

我要和爸爸去玩水上龙卷风了！
……
随便你，爱玩不玩！

呃啊！

老爸，你淡定点儿！
哐昂
好可怕啊啊啊！

妈呀！
唰啊
哈哈哈！这么大的人了，还吓成这样……
哈哈
……
……

第八话 心连心的力量

祝你生日快乐！♪
祝你生日快乐！♫
啪
啪
祝福亲爱的爷爷，祝您永远快乐

嗯？怎么只有一根蜡烛？

爷爷从今天起是1岁。
？

这样还可以长很多很多岁。
小云可真厉害……
噢，原来是这个意思！

好，
请准备吹蜡烛！
郑小云，你太激动了……
啪
噗

干什么呢？
快来啊……

好，该抓周了。
啊
抓周？

这是爷爷过寿，
又不是小孩过周
岁生日！
那也得抓！

好吧，好吧，
那爷爷就抓这
个吧。

嗖

爸爸，您为什么抓铅笔呢？

这代表我想用余生继续探索世界，追求真理。
呵呵
爸爸……

爷爷，吃了饭才有力气追求真理哟。
呃……是吗？

想吃饭的话得有钱……
呃……好吧

还得穿衣服……
呃……好吧
还得用鼠标上网……
……
……

结果是全都需要？
嘿嘿。

呵呵……我觉得自己成了原子核。
啊？什么意思？

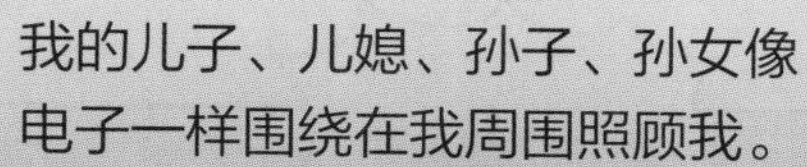
我的儿子、儿媳、孙子、孙女像电子一样围绕在我周围照顾我。

哈！

那老伴你就是质子，我就是中子喽。
是吧……呵呵！
这比喻，真不愧是学物理的……

我也知道原子核是由质子和中子构成的。
你见了查德威克?
上次我去见了詹姆斯·查德威克。

又吹牛了。
郑小多，你说的话没人会信。
才没有吹牛呢！

啊……是在书上看到的吧。
唉……是的，算是吧……
快点儿过来吃蛋糕！

哎呀，小云，你怎么切蛋糕了！应该让爷爷切……
咔咔
爷爷才1岁，太小了。我帮他切吧。

你可真是……
没事。孙女切的蛋糕更好吃。
我也要！我也要！
阿……阿……

阿嚏！
嚯！

爷爷，您快吃吧……
这怎么行啊！
呵呵
好可惜！

爸爸，我重新给您切一块吧。
好……

爷爷，质子和中子跟磁铁类似吗？为什么能紧紧贴在一起呢？

因为有胶水！
胶水
啊？怎么可能？！

起到胶水作用的物质是一种叫作胶子（gluon）的粒子……

gluon

能吃吗？
嚼
嚼

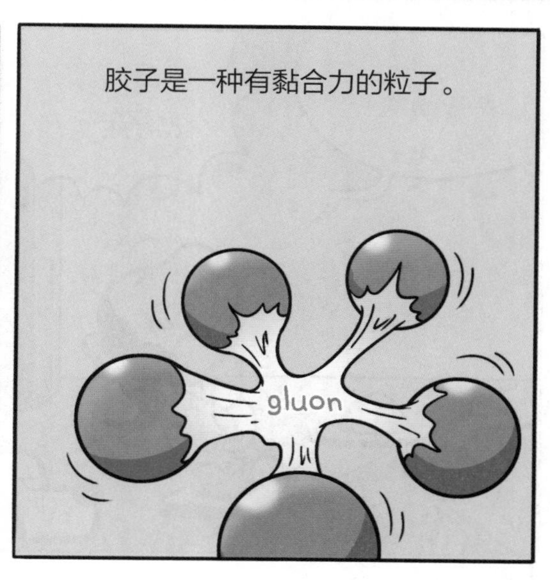

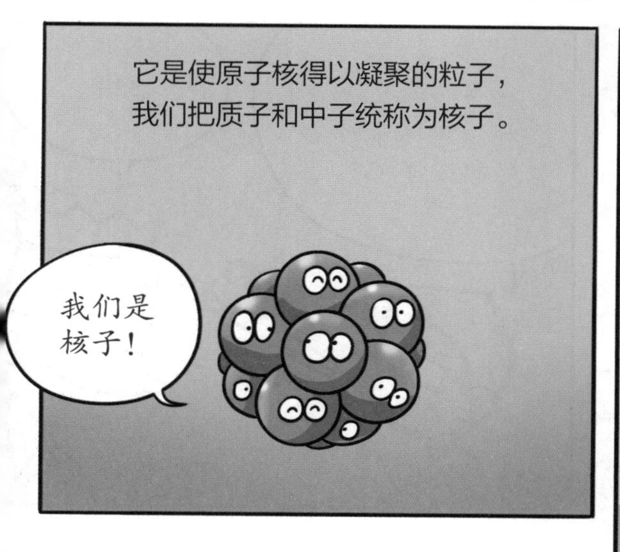

啧！
盐

超——
咸！

我好幽默！
嘎嘎嘎，太好笑了！
笑死我了！

咔嚓 咔嚓
Mix都跑去吃草了……
无法理解我高级幽默感的傻瓜！

发现胶子之前，人们认为连接核子的力来自一种叫π介子的粒子。
火攻！
！

π介子？又是哪位科学家给起的名字吧。
没错。
咻咻

是我的老师，
日本物理学家
汤川秀树教授
起的名字。
他也是第一位获得诺
贝尔奖的日本人。

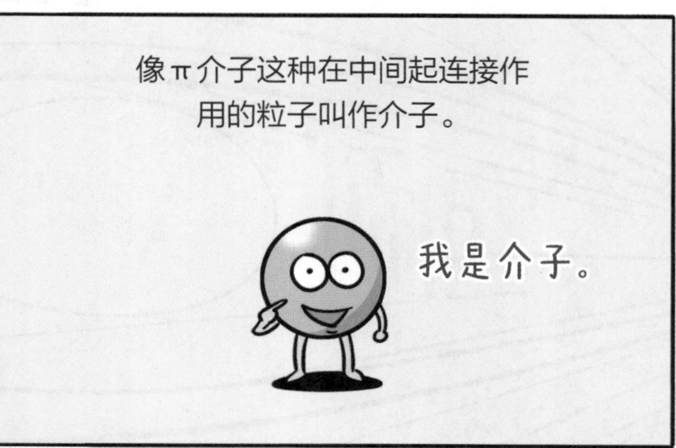
像π介子这种在中间起连接作
用的粒子叫作介子。
我是介子。

这种粒子比电子重，比质子轻。
电子
介子
质子

它的作用是连接原子核中
的核子。
抓紧了！

喂，
Mix！
有了介子，质
子和中子才能
结合在一起构
成原子核。

咻呜

唰
你还能带着蛋糕啊。
啊
嗒！
汪，汪汪汪汪！啊，掉下去了！

1953年
日本京都大学
啪！
啊，这是什么？

呃……

谁往我头上扣屎……不是，扣蛋糕！
怒
？

对不起，我是想送给您吃，结果不小心摔倒了……
踢
倒

送给我？不是故意整我？
啊？当然是送给您！我一直想来拜访您……
看来是我误会了，抱歉。很好吃呢……
可是，你们是谁呢？
我读了查德威克教授的书后很有启发，所以来找您了。
嚼
嚼

是吗？查德威克教授发现了中子，我也因此开展了研究！
什么研究呢……

关于介子的研究！

啊，莫非您是汤川秀树教授？
小多爷爷的老师！
晕！

你说想来拜访我，还送来蛋糕，竟然不知道我是谁？这是怎么回事？
不不，我知道！

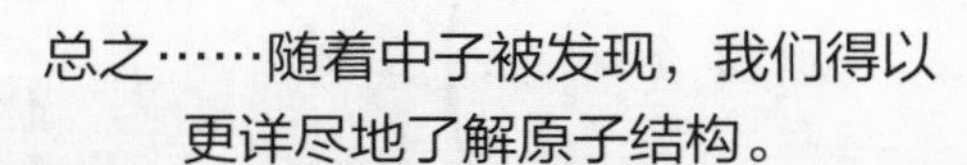
总之……随着中子被发现，我们得以更详尽地了解原子结构。

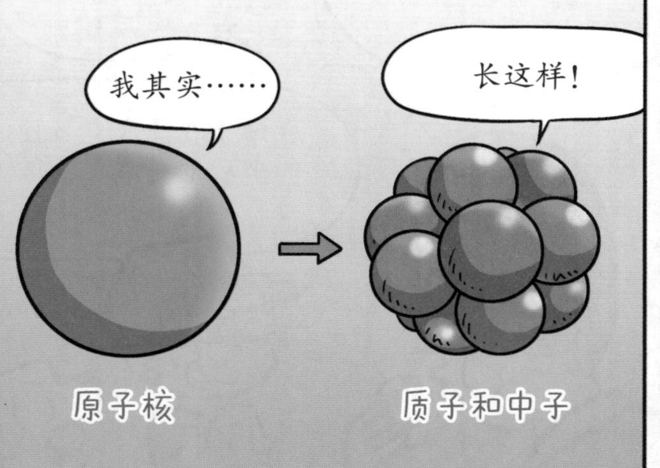
我其实……
长这样！
原子核
质子和中子

但后来又出现了一个问题。
那质子和中子为什么能这么紧密地聚在一起呢？
人多力量大！
紧 紧

胶水将它们粘在了一起！
噗！
嗒

噗！哈哈！胶水？用胶水粘核子？小孩子的想法真有趣！

还不如说用饭粒粘呢，哇哈哈哈！
哈
哈
哈
哈

或者强力胶！502胶水？或者是用橡皮筋绑起来的？
好吧好吧，反正我知道这个东西叫作介子！

不开玩笑了……你听着。
自然界中有四种基本力。

引力，电磁力，弱核力，强核力。
嚯！
引力
电磁力
咳！
弱核力
强核力

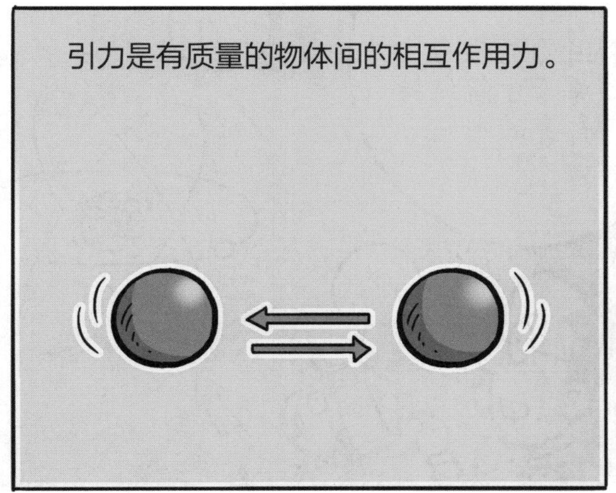
引力是有质量的物体间的相互作用力。

太阳系中的恒星和行星、行星和行星即使相距很远，相互之间也有引力。

不久前，我和爸爸一起看过的一部电影，讲的就是在没有重力的宇宙中发生的事故。
救命！

重力，救我！
没有重力，那我就借助推力来救你！

电磁力是电力和磁力的统称。原子中质子和电子之间也有电磁力。

物体向不同方向移动时受到的摩擦力……
嗬！
嘎吱

还有拉直绳子时绳子的张力……
紧
拉
都属于电磁力。

因为电磁力，原子才能维持自身的形态。
嗬！
！

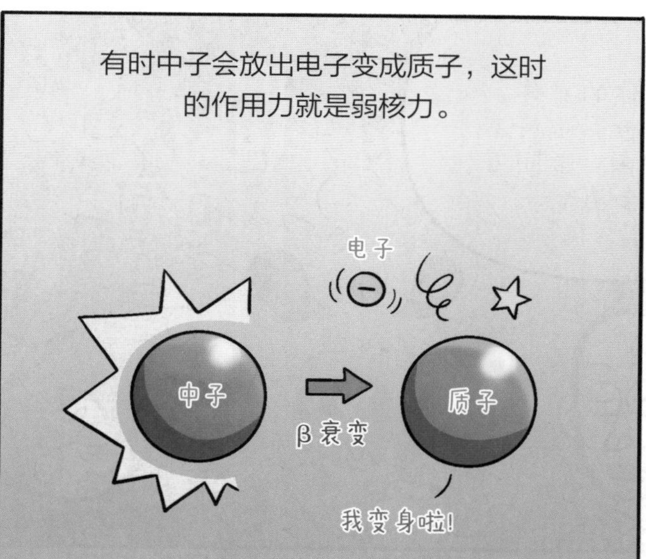

这种力虽然比引力强，但比电磁力弱，所以叫作弱核力。

引力<弱核力<电磁力

那么强核力比电磁力强吗?
弱核力<电磁力<强核力

是的。强核力是能克服质子间排斥力的力，它将质子和中子束缚在一起，形成原子核。
紧
紧

要是没有强核力，那我的身体……
可能会随风而散吧。

不光你的身体，整个世界都将不复存在。世间万物都会消散。
哐
啊
啊

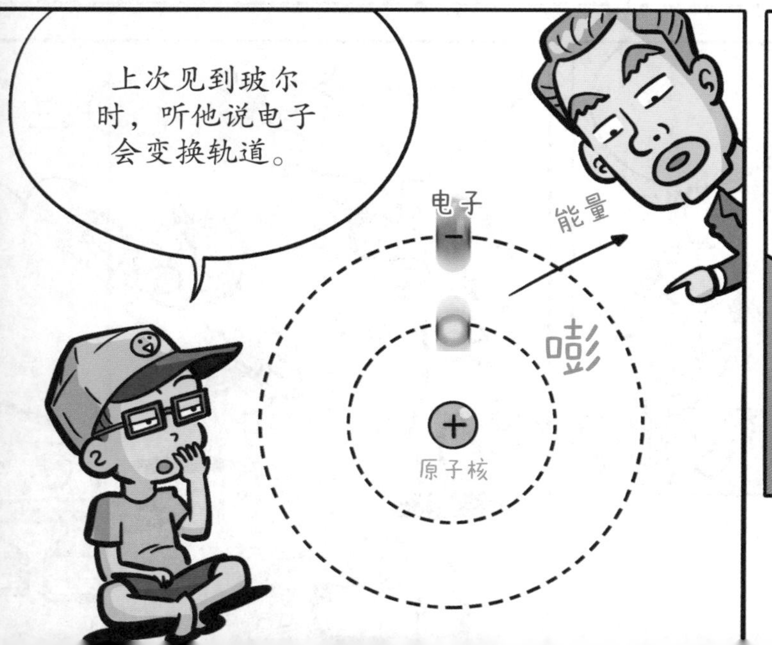
上次见到玻尔时，听他说电子会变换轨道。
电子
能量
嘭
原子核

这次又听说质子会变成中子，中子也会变成质子……

我们看不见的小小原子内，竟然在发生
这么多了不起的事！

这么复杂的事情竟然也在我身体里发生……而我却好好的……
挠
挠

可是质子和中子是怎么互相转化的呢？难道它们会魔法？
多利·波特

哐
昂
我找到了这个问题的答案！
啊！

因为有能够帮助核子变化的另一种粒子存在！
质子
中子
介子
我叫它介子！
帅气！

就是因为介子，质子才能变成中子，中子也才能变成质子。

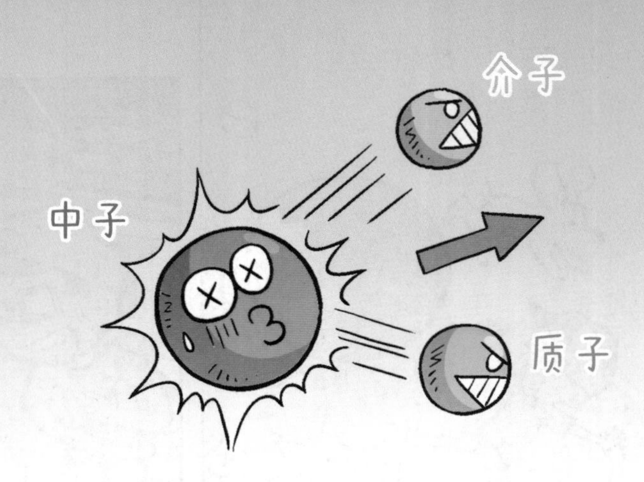
介子
中子
质子

这只是你的推测。反正我们看不见……
咦?
推……推测?

这是什么话!1947年已经通过实验发现了介子，怎么叫推测?!
发怒
我，我错了……对不起。

那时候发现的介子被叫作π介子。

看来爷爷说的没错，汤川先生认为π介子既起到黏合作用，又能帮助核子相互转化。

现在发现它是由核子构成的。
原来以为原子核无法再分割了……
核子被介子捆绑在一起……

那核子还可以继续分割吗？

是的，我很确定。
我坚信一定还有我们没发现的秘密。

你小小年纪，却懂这么多，真是令人惊叹。
小菜一碟啦。

你把这瓶黏合剂拿走吧，看到它就能想起今天我们的对话。

咻
呜

Mix，咱俩也像核子一样紧紧抱着吧。
抱紧
嗷呜呜！你这不是强核力，是强迫！
唰啊啊

唰

抽泣……
呃，您怎么哭啦？今天这么好的日子……

突然想起我的老师了……他是在我的生日——9月8号这天去世的……

也许……

汤川先生去世的时候，爷爷这边得到了介子。

所以爷爷的心和汤川先生的心才能相连。
哦！

介子的出现，让汤川先生的心也和爷爷的心相通。
小多，你的比喻真棒！

好，大家集合！
哇，能在户外上课可真棒啊！

第九话 慢慢浮现的真相

我好喜欢大自然。能和自然为友真是一件美好的事！

这样啊，那我给你介绍个来自大自然的朋友。
……

哇——妈呀！
唧唧！
怎么，不喜欢来自大自然的朋友吗？

你找死吗？
我想活！
噔
噔
噔
别闹了，快过来集合！

呼呼……在这么闷热的天跑步，真要命！
都怪你，郑小多！
光合作用太激烈了……
呼
呼
呼

傻瓜，只有植物才能进行光合作用！
这是个比喻好吗？能不能幽默点儿！

接下来我要介绍你们俩刚才讨论的光合作用，快过来吧。

植物和动物的区别是什么？

植物能自己制造养分。
但动物必须吃植物或其他动物才能生存！
吱！

植物无法
活动。
动物可以
活动！
嗡
唉，什么呀！
这不是一个意
思嘛。

哪有！无法活动
却能自己生长，
这多么重要！
！

动物找寻食物多么辛苦。
嗷 呜
呼呼呼！

哦，有一定道
理呢……

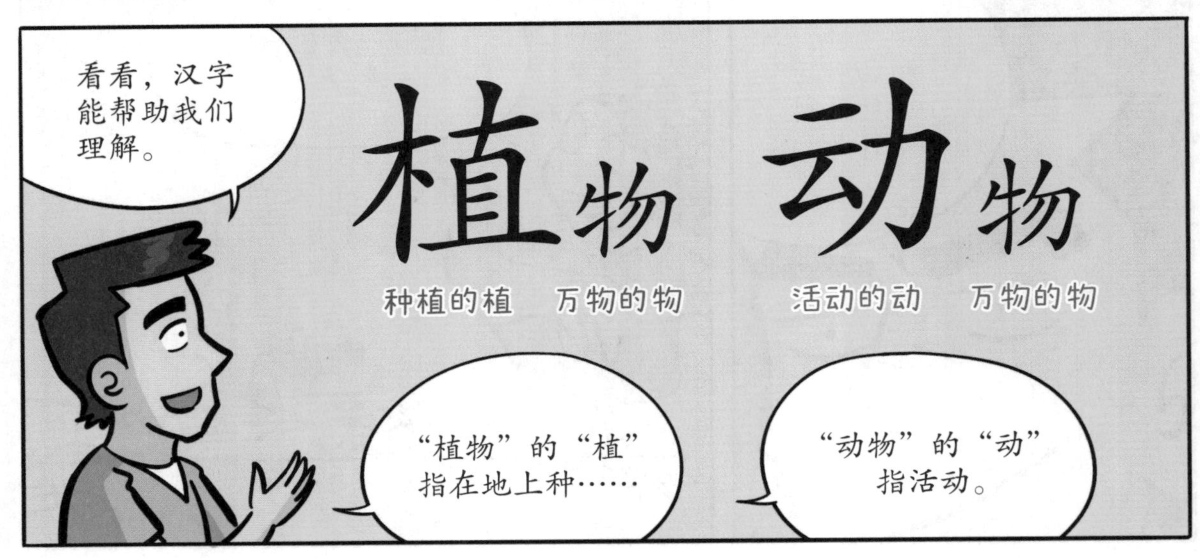
看看，汉字
能帮助我们
理解。
植物
种植的植 万物的物
动物
活动的动 万物的物
“植物”的“植”
指在地上种……
“动物”的“动”
指活动。

也许从动物的角度看，它们会很羡慕植物不用活动。
但植物会因无法动弹而被动物吃掉。
啊！

那么……植物不能活动却能制造养分的原因是什么呢？

当然是因为光合作用！
正是！

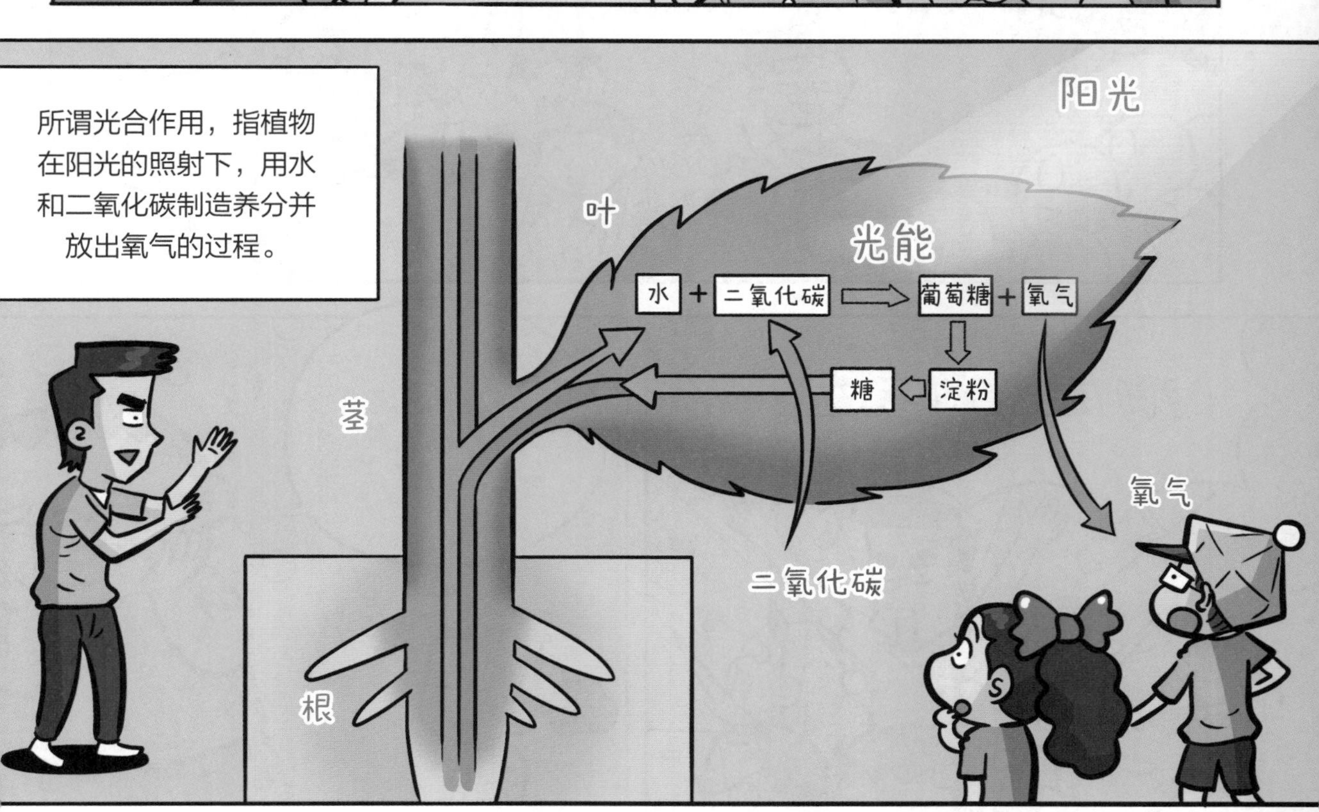
所谓光合作用，指植物在阳光的照射下，用水和二氧化碳制造养分并放出氧气的过程。
阳光
叶
光能
水 + 二氧化碳 ⇒ 葡萄糖 + 氧气
淀粉
糖
茎
氧气
二氧化碳
根

简单地说，就是利用光能合成葡萄糖。
诞生！
葡萄糖

阳光！
水！
三剑客！

氧气！
嗖
水！
嗖
嗖
葡萄糖！

我们是光合作用联盟！

我是人人喜爱的氧气般的男孩！
好吧……就算是吧……

到底，要是没
阳光，那么植
、光合作用、
气、葡萄糖就
都不存在了。
连我们也……
气氛
突然凝重

向阳光致敬！
向阳光致敬！
晕

而珍贵的阳光来自核聚变！

核聚变？
是的，核聚变指
几个原子核聚变
成一个原子核的
过程。

原子核聚变……那就如同利用光的能量，将水和二氧化碳转化成碳水化合物（以及氧气）……

咻
呜

1938年
意大利罗马大学

哎哟喂，现在都不好奇穿越到哪儿了吗？
啊——哈

别发呆了，快想想我们为什么会穿越？

这我怎么知道！
呜噜噜噜

咔
看来你能听懂狗说话啊。
嚯，您是谁？为什么在这里？

该我问你好吗？
呃，对哦……

我是科学家恩里科·费米。
我是罗马大学的教授。你们俩是谁？

费米？
是谁呢……
？

费……米……mi……fa……sol la si do♪
不懂的时候就用搞笑来掩饰。
无厘头……

什么，我几天前刚得了诺贝尔物理学奖，你竟然不认识我？

得诺贝尔奖的人可不少呢。
晕

等等！得诺贝尔奖……难道是因为和原子相关的研究？
没错！

我用中子轰击
发现了许多放
射性元素！

对！
中子就是和质子
一起构成原子核
的核子……

嗯，看见你让
我想起了我年
轻的时候。
啊？这是为
什么呢？

我21岁获得了
物理学博士学
位，25岁成了
这里的教授！
晕……

我从没见过你这
样的大人，在小
孩面前炫耀自己
有多么厉害。
呃！
我在说
什么！

啊……抱歉。
我的性格有点儿……
年纪轻轻就
获得了成功

话说……
核聚变到底
是什么啊？

这是个好
问题！
我先向你解
释什么是核
裂变。
！

你知道原子核由质子和中子构成对吧？
当然，我已经
跟卢瑟福博士
和查德威克老
师学过了。

我虽然有点儿爱
炫耀，但我可不
说谎。
我没说谎！

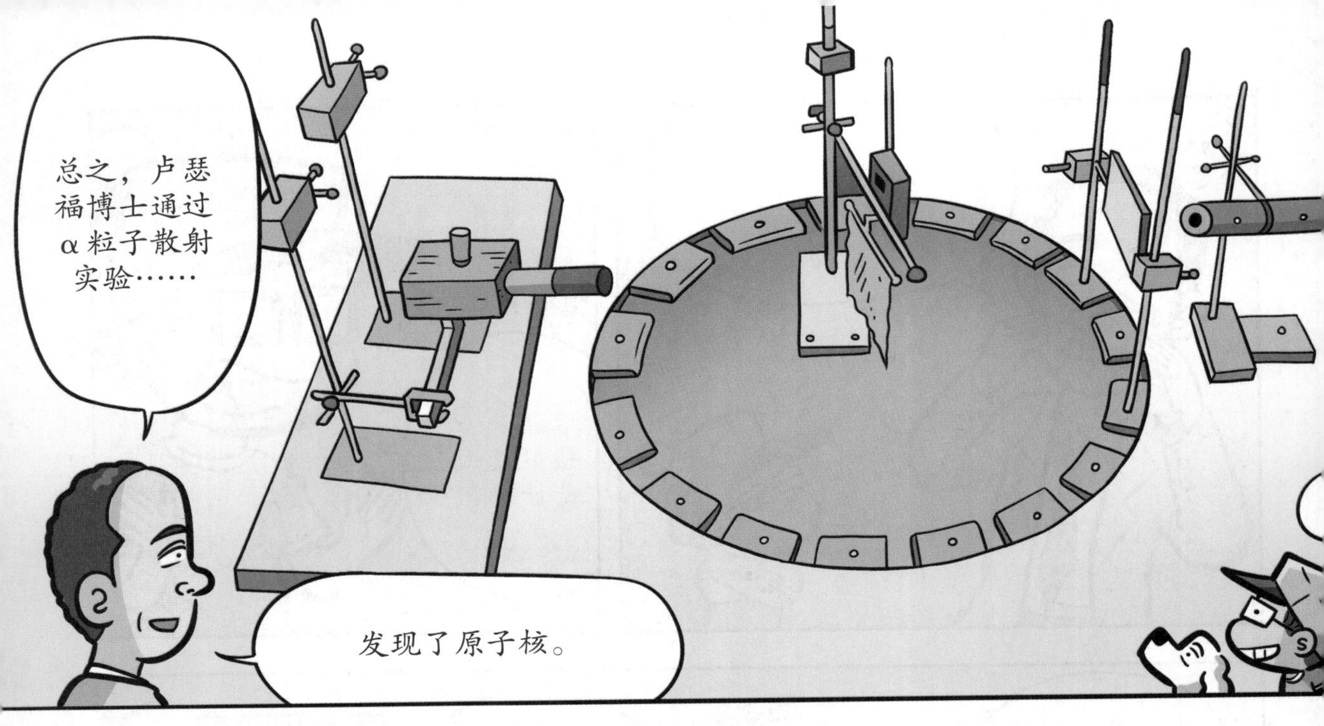
总之，卢瑟福博士通过α粒子散射实验……
发现了原子核。

啊哈！α粒子散射实验就是……
……

让α粒子和其他物质发生碰撞……
咚
我是α粒子。

然后观察碰撞后会出现什么现象！
是的，没错！

那么，费米教授您也做了这个实验吗？
是的。

α粒子就是氦原子核，带正电荷。

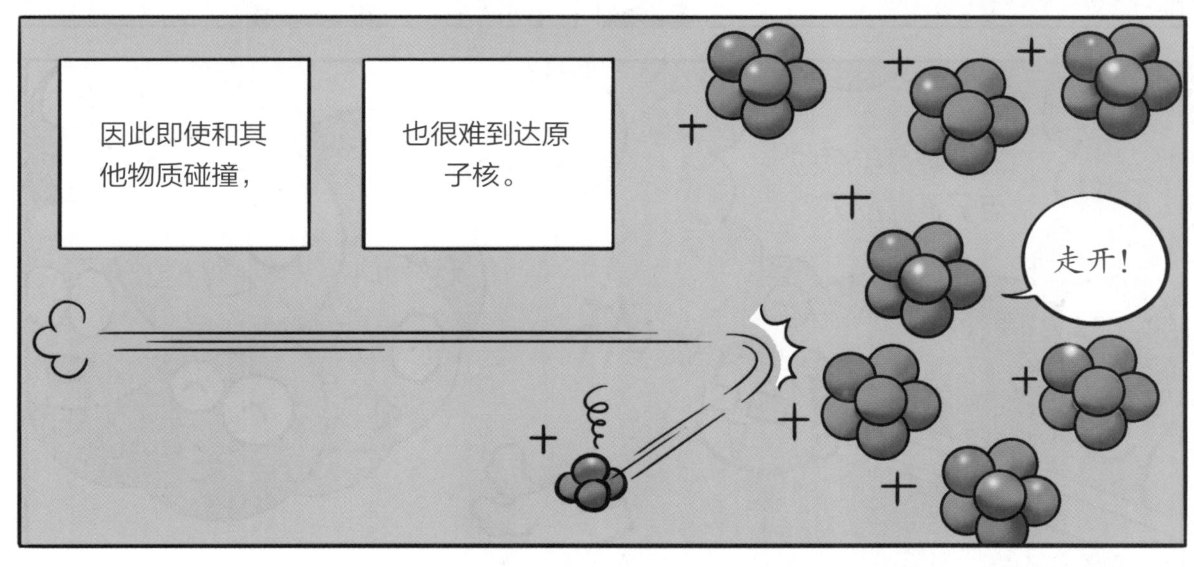
因此即使和其他物质碰撞，
也很难到达原子核。
走开！

无法……
靠近！
嘿！
是……这样。

哎哟喂，
转晕了！

正电荷不行
的话……
起
！

发射带负电荷的
电子不就行了？
想法
很不错！
咻
电子

但因为电子太
小，所以无法
进行实验。
嚯！
咻——咻

啪
那发射质子
……
质子也带
正电荷啊。

那么剩下的
……

就只有中子了！
闪亮登场！
注意，中子是我查德威克发现的哟！

我用中子轰击发现了许多放射性元素。

因此获得了诺贝尔物理学奖。啊哈！
如何使用中子呢？

中子
铀
引发核裂变！
咯噔

自然界中最重的元素是……
铀！
92U

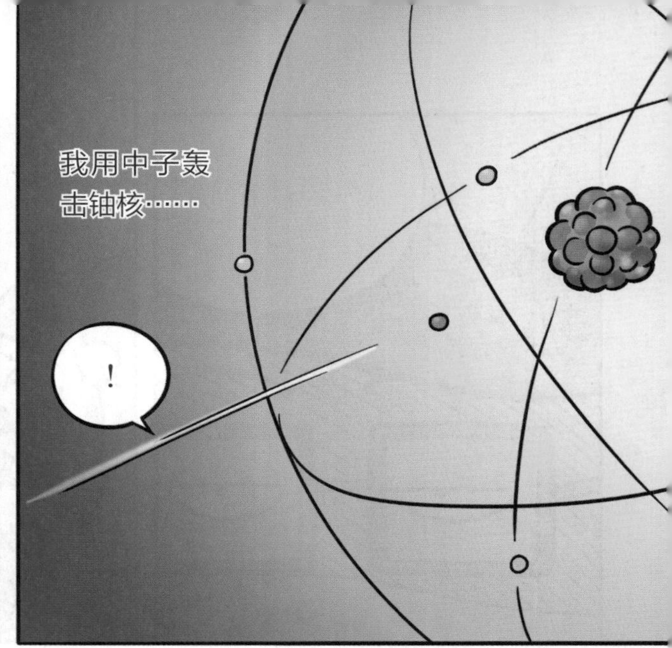

我用中子轰击铀核……
！

想要合成比铀更重的元素。

但是……
瘫倒
但是……什么？

铀核吸收中子后，
嗖

却发生了分裂！
哐哐

奥托·哈恩
莉泽·迈特纳
除我以外，奥地利物理学家莉泽·迈特纳，
还有德国化学家奥托·哈恩都做过用中子轰击铀核的实验。

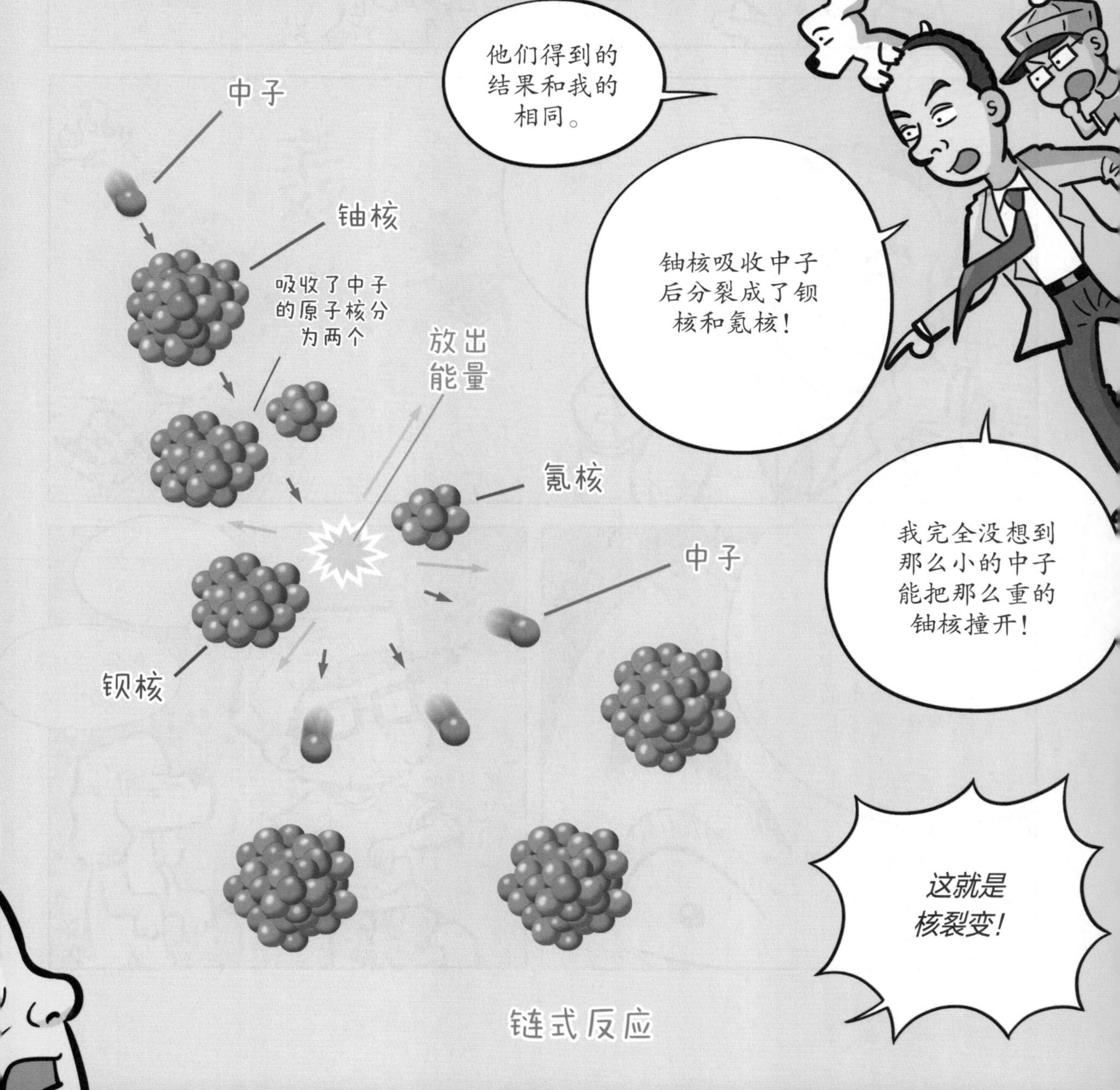
他们得到的结果和我的相同。
铀核吸收中子后分裂成了钡核和氪核！
我完全没想到那么小的中子能把那么重的铀核撞开！
这就是核裂变！
中子
铀核
吸收了中子的原子核分为两个
放出能量
氪核
中子
钡核
链式反应

核裂变不会一次
就结束……

它会持续不断
地进行下去！
哐
哐哐

同时我还发
现，核裂变
会放出巨大
的能量。
轰

只要能妥善利
用，我们得到
的能量将比常
规发电产生的
能量大得多！

但为什么
……
有种不祥的
预感……

轰隆隆隆
没错……
核裂变研究最终
成了研发原子弹
的契机。

啊！糟糕，
我该走了！

啪
这个你
拿着！
！

这是我的研究
笔记，你拿去
看吧。
您……要
去哪里？

去美国大使馆。
我准备逃亡到美
国去！
我要逃出恶
魔墨索里尼
的魔掌。
啊……看来
第二次世界
大战就要开
始了！

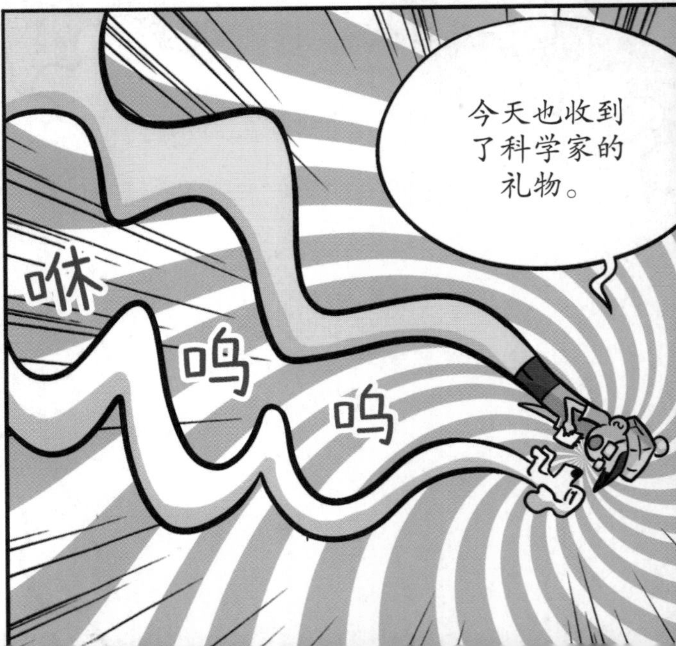
今天也收到
了科学家的
礼物。
咻
呜
呜

等，
等等！
汪汪汪汪！
怎么啦？丢
东西了？

我明白了！
哐
喂，口水喷
出来了！
汪？

唰 啊
终于知道了如
何才能结束穿
越回到现实！
汪汪？
怎样？

从科学家那里收
到礼物我们就能
结束穿越！
唰 啊
咚 咚
嗯哼哼哼！
啊，别喷口水了！
嗷呜呜呜呜！
什么，真的吗？
穿越时空的秘密终于开始被揭开！
小多和Mix的穿越之旅下册继续！

躲在哪里呢？

寻找科学家！

“量子物理，好玩好懂！”第1、2册中出现的科学家们正等着大家找到他们的名字！

一共15位！
有些名字是横向的，有些是竖向的，还有些是斜向的。

古	汤	坦	斯	特	美	拉	米	卢	五	杨
康	罗	可	费	米	里	叶	好	瑟	甲	水
拉	普	彩	光	气	名	大	西	福	白	家
文	林	顿	学	红	宝	东	树	小	爱	查
也	詹	斯	汤	川	科	仁	迪	生	因	德
斯	布	特	金	物	世	道	尔	顿	斯	威
秀	有	拉	戈	尔	德	施	泰	因	坦	克
牛	顿	特	化	坦	平	单	尔	普	列	玻
门	捷	列	夫	加	华	士	黑	国	朗	尔
台	朗	一	其	夫	拉	瓦	锡	土	肖	克

答案见第192页。

答案

挑战！

爱因斯坦的判断题

❶ ○

❷ ✖（必须将光看作粒子，才能解释光电效应。）

❸ ✖（光的频率越高，光子的能量就越大。）

❹ ○

❺ ✖（狭义相对论的基本原理是光速不随观察者所在的惯性参考系发生变化。）

❻ ○

❼ ✖（无论观察者在何种惯性参考系中观察，光速都保持30万千米/秒不变。）

❽ ✖（在某些人看来同时发生的两件事，在其他人看来可能不是同时发生的。）

躲在哪里呢？

寻找科学家！

古	汤	坦	斯	特	美	拉	米	卢	五	杨
康	罗	可	费	米	里	叶	好	瑟	甲	水
拉	普	彩	光	气	名	大	西	福	白	家
文	林	顿	学	红	宝	东	树	小	爱	查
也	詹	斯	汤	川	科	仁	迪	生	因	德
斯	布	特	金	物	世	道	尔	顿	斯	威
秀	有	拉	戈	尔	德	施	泰	因	坦	克
牛	顿	特	化	坦	平	单	尔	普	列	玻
门	捷	列	夫	加	华	士	黑	国	朗	尔
台	朗	一	其	夫	拉	瓦	锡	土	肖	克

著作权合同登记号 图字：01-2022-1347

图书在版编目（CIP）数据

量子物理，好玩好懂！. 2, 遇上爱因斯坦 /（韩）李亿周著；（韩）洪承佑绘；王忆文译. —北京：北京科学技术出版社，2022.11（2024.3重印）
ISBN 978-7-5714-2210-3

Ⅰ. ①量… Ⅱ. ①李… ②洪… ③王… Ⅲ. ①量子论－儿童读物 Ⅳ. ① O413-49

中国版本图书馆 CIP 数据核字（2022）第 048554 号

策划编辑：刘珊珊
营销编辑：贺琳子 王艳伟
责任编辑：樊川燕
责任校对：贾 荣
封面设计：北京弘果文化传媒
图文制作：天露霖
责任印制：张 良
出 版 人：曾庆宇
出版发行：北京科学技术出版社
社 址：北京西直门南大街 16 号
ISBN 978-7-5714-2210-3

邮政编码：100035
电 话：0086-10-66135495（总编室）
0086-10-66113227（发行部）
网 址：www.bkydw.cn
印 刷：北京宝隆世纪印刷有限公司
开 本：787 mm × 1092 mm 1/16
字 数：153 千字
印 张：12.25
版 次：2022 年 11 月第 1 版
印 次：2024 年 3 月第 4 次印刷

定 价：56.00 元